POCKE

Wordsearch

This edition published in 2011 by Arcturus Publishing Limited
26/27 Bickels Yard, 151–153 Bermondsey Street,
London SE1 3HA

Copyright © 2011 Arcturus Publishing Limited
Puzzles copyright © 2011 Puzzle Press Ltd

All rights reserved. No part of this publication may be reproduced, stored in a retrieval system, or transmitted, in any form or by any means, electronic, mechanical, photocopying, recording or otherwise, without prior written permission in accordance with the provisions of the Copyright Act 1956 (as amended). Any person or persons who do any unauthorised act in relation to this publication may be liable to criminal prosecution and civil claims for damages.

ISBN: 978-1-84858-096-1
AD001978EN

Printed in China

CONTENTS

1

Cold Box

S	L	Q	Y	A	F	Y	U	F	O	V	L	O
X	H	Z	R	I	Z	Y	U	R	Q	V	E	F
Y	V	E	D	U	X	S	F	A	U	L	S	S
A	Q	N	R	D	I	L	E	G	A	G	I	L
J	A	K	J	O	F	C	G	I	G	R	H	S
S	Q	G	N	I	S	S	A	V	N	A	C	D
G	D	H	S	A	C	H	R	T	F	B	U	E
A	V	T	C	A	S	E	O	S	H	L	O	T
Z	H	U	R	H	H	S	T	U	I	O	C	R
P	G	R	E	T	A	W	S	X	L	O	D	A
C	J	K	A	D	D	C	G	Q	M	D	F	E
F	Y	E	M	A	R	F	J	F	J	E	E	H
I	W	Y	O	S	Y	V	O	M	E	D	E	R
S	M	D	M	H	F	R	I	G	I	D	T	O
H	S	Z	N	B	T	C	K	C	Q	I	N	L

BLOODED
CANVASSING
CASE
CASH
CATHODE
CHISEL
COMFORT
CREAM
FEET
FISH
FRAME
FRIGID
FUSION
GELID
HEARTED
SHOULDER
SORE
STORAGE
SWEAT
TURKEY
WATER
WEATHER

Adventurous

S	D	L	H	J	P	G	X	C	Q	H	P	Y
M	U	A	E	M	Y	T	J	X	O	K	E	L
T	H	O	R	A	S	H	H	R	K	F	C	T
P	A	E	E	I	E	E	K	R	S	O	F	E
V	Z	T	S	G	N	X	G	P	I	O	B	K
B	A	I	I	Y	A	G	E	A	R	L	O	A
H	R	A	R	E	N	R	C	T	S	I	L	T
C	D	O	P	B	I	M	U	P	V	S	D	S
Q	C	A	R	L	A	I	A	O	S	H	A	D
A	D	V	E	N	T	U	R	E	C	F	A	P
A	U	T	T	Y	R	A	L	B	I	N	T	B
C	H	A	N	C	E	K	Q	N	G	E	A	S
I	V	X	E	X	C	I	T	E	M	E	N	T
L	Y	E	V	E	N	T	R	I	A	L	U	S
A	X	Z	R	C	U	M	Q	V	Y	Z	G	N

ADVENTURE
BOLD
CHANCE
COURAGEOUS
CRISIS
DANGER
DARING
ENTERPRISE
EVENT
EXCITEMENT
FOOLISH
FORTUITY
HAZARD
PASSAGE
PERIL
RASH
RECKLESS
RISK
STAKE
THRILLS
TRIAL
UNCERTAIN

3

Pacific Islands

E Z P F A G N P K S Z R U
B P P U V E L A U N A V J
N A T R X F F C M I T F K
L V N U D K N H A G S I N
V H V A N U A T U N N J B
W A O N B O E N G U T I A
H L O N E A M O D X T O K
M A R E S P I T C A I R N
E H W T E H G D B A V E M
S X E A H J U I N R J U X
Y R J S I V R A J U R N P
H X O V Y I L W O U D I Q
X P G M K Q B O R N E O H
P P G N I N Q O G Z V N R
N J G V S T A N E T V O C

BANABA
BORNEO
CANTON
EASTER
FIJI
GUAM
HAWAII
HONSHU
JARVIS
KANDAVU
KINGMAN
KIRIBATI
LANAI
MURUROA
NAURU
PITCAIRN
RAIATEA
REUNION
SERAM
TIMOR
VANUA LEVU
VANUATU

Elements

4

J	W	T	M	U	I	N	A	R	U	L	R	O
M	T	T	M	U	I	L	L	Y	R	E	B	U
L	U	S	A	O	I	H	M	L	P	C	F	Y
A	N	I	G	Z	I	N	C	P	T	X	G	R
U	G	L	N	S	N	N	O	B	R	A	C	U
T	S	V	E	A	O	C	I	T	D	V	I	C
U	T	E	S	C	T	Z	H	M	U	I	H	R
I	E	R	I	E	N	I	R	O	U	L	F	E
S	N	L	U	R	I	Y	T	X	O	L	P	M
L	I	Z	M	U	I	M	O	R	H	C	A	U
S	N	E	G	O	R	T	I	N	I	X	D	I
N	E	G	Y	X	O	N	L	G	H	B	I	D
I	O	D	I	N	E	G	O	R	D	Y	H	O
M	U	N	I	M	U	L	A	N	N	N	Y	S
C	D	V	X	Q	D	X	C	R	Y	J	V	B

ALUMINUM
BERYLLIUM
CARBON
CHLORINE
CHROMIUM
COPPER
FLUORINE
GOLD
HYDROGEN
IODINE
MAGNESIUM
MERCURY
NITROGEN
OXYGEN
PLUTONIUM
SILICON
SILVER
SODIUM
TITANIUM
TUNGSTEN
URANIUM
ZINC

5

Famous Women

D	C	G	L	Q	M	D	G	R	C	E	S	A
U	P	L	S	J	C	A	V	E	L	L	A	V
B	E	A	E	A	R	H	A	R	T	C	L	Y
J	O	A	N	O	F	A	R	C	C	L	O	K
O	R	L	X	K	P	I	I	I	Q	I	M	S
U	N	E	V	Z	H	A	D	F	S	N	E	N
I	O	D	J	D	U	U	T	D	T	T	U	I
M	M	N	N	U	O	B	R	R	H	O	I	W
K	T	A	C	B	G	O	T	S	A	N	G	E
G	G	M	U	A	D	Z	W	H	T	H	G	L
W	L	E	R	D	U	E	A	E	C	F	U	Q
R	H	B	I	S	S	S	Y	L	H	L	K	M
P	O	C	E	J	I	F	T	L	E	O	D	J
X	K	V	M	B	A	Y	P	E	R	O	N	D
B	T	A	Y	X	X	F	P	Y	N	W	C	A

AUSTEN
BOUDICCA
CAVELL
CHRISTIE
CLEOPATRA
CLINTON
CURIE
EARHART
GANDHI
GARBO
JOAN OF ARC
LEWINSKY
MANDELA
MEIR
MONROE
PANKHURST
PERON
RODDICK
SALOME
SHELLEY
THATCHER
WOOLF

Short Words

6

X	E	R	B	Z	E	K	F	Y	G	Y	S	M
D	E	S	A	X	T	W	N	S	S	H	U	H
E	S	G	R	S	M	X	C	E	A	F	M	O
S	U	D	D	E	N	L	Y	R	H	B	M	L
I	N	H	W	I	T	T	P	U	R	B	A	F
C	C	P	T	A	R	D	V	I	W	C	R	G
N	I	U	T	H	R	E	E	S	O	Z	Y	Y
O	V	P	R	S	G	F	C	N	X	Y	Z	C
C	I	M	O	T	U	I	I	T	Q	T	T	N
I	L	Y	H	V	A	C	A	S	N	A	P	S
F	A	L	S	M	H	I	C	R	H	U	O	O
E	Y	H	T	I	P	E	L	I	T	Q	F	Z
Q	T	R	U	C	O	N	D	E	N	S	E	D
R	W	S	C	A	N	T	Y	S	D	C	B	R
Y	N	L	H	E	N	C	O	F	Q	K	T	V

ABRUPT
BRIEF
CONCISE
CONDENSED
CURT
CURTAILED
CUT SHORT
DEFICIENT
DIRECT
DWARFISH
LACONIC
PITHY
SCANTY
SHARP
SNAP
SQUAT
STRAIGHT
SUCCINCT
SUDDENLY
SUMMARY
TERSE
UNCIVIL

7

Pop Songs

U	E	R	C	O	H	T	K	R	Y	U	A	N
G	S	E	I	D	O	A	O	X	H	Y	Y	Y
Z	J	A	Y	N	D	X	A	A	W	A	T	A
M	A	R	I	A	A	E	L	L	W	W	N	M
L	N	G	B	N	Y	I	Q	Y	I	W	D	E
Y	H	A	N	R	L	H	M	T	S	E	B	I
T	Z	E	R	E	X	O	B	E	H	T	L	G
D	I	G	D	F	D	S	K	S	I	D	Y	G
V	H	O	N	E	Y	G	M	T	N	Z	O	A
V	I	Q	E	S	L	Q	E	G	G	Y	J	M
W	O	R	D	S	U	L	F	T	J	D	L	M
A	F	J	F	S	K	N	I	F	B	N	R	E
Z	I	B	R	E	S	P	E	C	T	A	O	S
H	A	M	H	E	V	U	M	V	U	M	C	Y
J	S	H	G	W	W	G	D	V	T	L	A	K

DELILAH
FERNANDO
FREEDOM
GET BACK
HONEY
LEILA
LET IT BE
LUCILLE
MAGGIE MAY
MANDY
MARIA
MY WAY
RESPECT
ROXANNE
SHE
THE BOXER
TONIGHT
VENUS
VIENNA
WISHING
WORDS
ZABADAK

Aromatherapy

I	R	F	U	S	C	H	I	A	Z	L	W	M
K	E	N	I	M	S	A	J	H	N	U	N	Q
S	S	I	R	G	R	E	B	M	A	N	G	O
U	D	U	E	L	I	O	M	L	A	P	Z	E
M	A	G	M	N	I	I	C	F	I	L	C	N
E	D	B	E	E	N	A	O	R	S	I	H	I
T	N	O	S	T	S	D	C	A	E	U	O	R
I	O	L	O	J	T	E	O	N	E	Q	C	A
H	M	I	R	W	Y	I	N	J	R	N	O	T
W	L	L	E	T	L	C	U	I	F	O	L	C
Y	A	Y	B	F	H	A	T	P	H	J	A	E
F	N	E	U	T	P	S	D	A	L	C	T	N
Q	U	O	T	M	L	A	B	N	O	M	E	L
B	L	U	E	B	E	L	L	I	A	T	H	T
G	D	N	U	P	T	E	A	R	O	S	E	T

ALMOND
AMBERGRIS
BLUEBELL
CHINESE MUSK
CHOCOLATE
COCONUT
FRANJIPANI
FREESIA
FUSCHIA
JASMINE
JONQUIL
LEMON BALM
LILY
MANGO
MINT OIL
NECTARINE
PALM OIL
PEONY
SANDALWOOD
TEA ROSE
TUBEROSE
WHITE MUSK

9

Consumer Electronics

V	E	J	Z	T	N	W	Y	S	B	M	Q	S
T	P	P	R	A	H	S	L	N	N	I	L	P
Y	F	S	V	V	Z	O	J	K	O	S	H	M
A	B	I	H	S	O	T	M	Z	N	S	L	G
M	C	E	F	U	J	I	T	S	U	I	L	P
A	E	M	G	A	K	E	N	W	O	O	D	X
H	X	E	M	A	C	R	A	K	T	N	F	Q
A	O	N	A	H	Q	Q	L	F	H	Y	U	J
S	R	S	N	A	M	D	O	O	G	A	V	D
P	H	I	L	I	P	S	R	X	D	P	F	B
X	C	N	J	G	O	J	O	T	K	P	Y	S
S	X	O	V	R	D	X	T	A	H	L	B	O
T	W	K	C	O	P	I	O	N	E	E	R	Y
V	E	I	G	N	U	S	M	A	S	E	L	B
R	M	A	P	B	S	U	K	X	M	A	V	I

APPLE
ARCAM
FUJITSU
GOODMANS
JVC
KENWOOD
LINN
MICROSOFT
MISSION
MOTOROLA
NOKIA
PHILIPS
PIONEER
QUAD
SAMSUNG
SHARP
SIEMENS
SONY
TECHNICS
THOMSON
TOSHIBA
YAMAHA

Head to Toe

Y	T	Z	O	I	N	V	O	E	P	Q	R	C
B	C	R	A	M	P	O	N	S	P	M	U	P
X	W	E	I	H	T	A	H	P	O	T	C	N
E	P	B	A	L	A	C	L	A	V	A	R	Z
I	M	N	O	H	B	Q	L	D	P	O	S	X
B	O	F	Z	O	S	Y	Q	R	C	S	R	H
S	Y	S	N	O	T	G	N	I	L	L	E	W
E	I	C	C	D	L	S	R	L	X	L	P	V
M	C	K	S	I	M	T	J	L	M	X	P	O
S	S	V	S	O	M	B	R	E	R	O	I	Y
X	A	T	S	T	I	L	T	S	G	O	L	C
G	U	H	G	T	R	A	I	N	E	R	S	O
Q	Y	W	C	L	A	I	X	Y	D	O	G	W
C	R	E	B	E	W	P	P	R	O	T	H	L
D	H	M	K	L	S	Y	S	N	J	V	E	S

BALACLAVA
BOOTS
CAP
CLOGS
COWL
CRAMPONS
ESPADRILLES
HELMET
HOOD
PUMPS
SHOES
SKIS
SLIPPERS
SOCKS
SOMBRERO
SPATS
STILTS
TOP HAT
TRAINERS
TRICORN
TRILBY
WELLINGTONS

11

Hot and Cold

M	L	P	P	H	C	R	M	F	X	I	O	M
U	O	T	F	N	N	S	C	H	R	H	D	C
E	O	S	I	F	R	K	E	Y	E	S	Y	B
A	C	I	T	C	R	A	R	F	S	T	S	O
G	X	R	T	H	T	E	L	R	S	I	D	Z
J	P	Q	B	S	I	L	E	O	Z	F	I	G
Z	R	B	T	F	B	B	R	Z	P	L	N	X
H	Q	U	U	C	X	F	L	E	I	I	U	J
F	N	D	T	R	H	I	S	N	M	N	H	D
T	R	I	I	G	N	I	K	A	B	G	G	E
J	Z	R	Q	G	N	I	L	I	O	B	E	L
U	M	R	A	W	I	F	N	L	E	B	L	X
Y	W	O	N	S	Z	R	H	G	Y	C	I	V
W	P	T	O	B	U	A	F	X	G	T	D	I
V	B	L	U	J	W	P	O	M	I	V	Z	C

ARCTIC
BAKING
BLEAK
BOILING
BURNING
CHILLY
COOL
FIERY
FLAMING
FREEZING
FRIGID
FROSTY
FROZEN
GELID
HEAT
ICY
POLAR
SIZZLING
SNOWY
STIFLING
TORRID
WARM

Baseball Terms

H	L	Y	H	E	S	C	J	L	R	F	S	Q
O	E	W	R	U	T	H	L	P	E	I	P	L
M	A	L	S	D	N	A	R	G	N	N	L	I
E	Y	S	T	R	B	N	L	G	R	A	O	V
R	S	H	L	E	C	G	L	P	B	U	M	J
U	B	O	V	H	R	E	T	T	A	B	X	E
N	V	R	S	C	K	U	I	D	H	T	E	K
P	U	T	K	T	S	P	L	E	E	R	F	P
C	I	S	B	A	S	E	B	A	L	L	O	J
H	O	T	X	C	I	U	M	K	B	A	U	W
L	B	O	C	F	U	M	B	S	U	E	L	B
Z	X	P	N	H	V	P	E	J	O	T	A	X
G	E	I	L	D	E	I	M	V	D	S	B	Q
L	R	N	W	S	T	R	I	K	E	P	E	C
Y	A	K	L	S	N	E	I	S	K	O	M	W

BASEBALL
BASES
BATTER
CATCHER
CHANGE UP
CURVE BALL
DOUBLE
FOUL
GRAND SLAM
HITS
HOME RUN
INFIELD
PITCHER
PLATE
SHORTSTOP
SINGLE
SPIT BALL
STEAL
STRIKE
TEAM
THROW
UMPIRE

13

Space Vehicles

O	O	W	F	A	C	T	K	M	E	Z	E	R
W	F	T	E	L	S	T	A	R	D	U	S	T
N	D	G	B	R	D	G	S	O	Y	U	Z	C
N	O	V	Q	R	E	G	A	Y	O	V	N	B
E	H	E	R	L	O	N	V	E	U	L	X	A
A	K	G	L	Z	R	L	I	V	B	D	A	L
W	O	A	L	I	L	S	K	R	M	Y	E	P
B	N	T	G	P	L	U	I	U	A	I	U	N
R	U	L	T	I	V	A	N	S	R	M	T	N
J	L	T	U	O	K	E	G	A	W	O	A	F
V	P	H	S	N	I	A	N	E	E	J	D	A
N	G	T	L	E	I	G	S	E	L	E	N	E
J	O	G	Q	E	E	K	H	T	R	V	O	G
K	P	Q	J	R	A	I	H	S	O	A	Z	Q
K	S	N	J	P	O	P	P	Q	U	X	R	T

ARIEL
GALILEO
GIOTTO
LUNA
LUNIK
LUNOKHOD
MAGELLAN
MARINER
PIONEER
RANGER
SAKIGAKE
SELENE
SOYUZ
STARDUST
SURVEYOR
TELSTAR
VEGA
VENERA
VIKING
VOSTOK
VOYAGER
ZOND

Weighty Matters

14

X S U U C A M H K Q B K D
O S N Y V A E H H A M K C
W Z W O S F D J L L I F T
V F E S T O N A Y L U V W
U N I Y N R N D O I C R B
Y V G H T C L G T C F D E
E K H N E E R R A E B S B
E Y T K I A O A B R P B Q
Y C I W M P V V A U O U X
X X N M P G N I H S U R C
F U E U L T B T N S N D Z
M O S T O N E Y B E D E O
H T S C A L E S Q R S N X
E Z W A D R L B O P C S X
S H T H T M Q U G R H J R

BALANCE
BEAR
BURDEN
CRUSHING
FORCE
GRAVITY
HEAVINESS
HEAVY
HEFTY
KILOGRAMME
LIFT
LOAD
MASSIVE
OUNCE
POUND
PRESSURE
SCALES
STONE
SUPPORT
TONS
UNWIELDY
WEIGHTINESS

15

Egg Box

H	L	O	W	S	S	B	Y	Z	M	P	V	I
S	C	N	L	C	R	X	V	R	Q	D	L	L
G	E	S	P	O	O	N	S	D	A	E	H	H
N	L	H	L	S	R	D	E	P	A	H	S	F
G	L	L	C	Y	K	A	L	M	N	P	A	I
T	S	Z	V	I	X	L	D	N	U	O	B	B
Z	V	D	H	R	W	N	O	C	M	B	S	Q
V	O	E	A	Q	U	D	O	Y	E	R	L	I
J	W	Y	F	U	Y	U	N	G	N	K	A	A
W	J	H	M	S	R	E	T	A	E	B	Y	P
T	F	L	I	P	L	A	N	T	S	R	I	K
O	K	G	A	T	H	L	E	N	E	Z	N	P
Z	J	K	K	W	E	O	E	M	D	S	G	V
B	L	M	G	S	K	S	I	H	W	J	I	W
B	T	V	Y	X	L	T	V	G	S	T	N	G

ALBUMEN
BEATER
BOUND
CELLS
COSY
CUPS
FLIP
FU YUNG
HEADS
LAYING
NOG
NOODLES
PLANTS
ROLLS
SANDWICHES
SHAPED
SHELLS
SPOONS
TIMER
WHISKS
WHITES
YOLKS

Anatomy

16

```
A X U S N O T E L E K S T
L D K C R T Y D N Y I C F
I J R D T H R O A T E Y W
F U P E F R B O P N L K E
M G B N N T A A G V B P X
R U N A S A L C A V I T Y
U L I A H A L Q H G D T F
E A E L T X N G L E N S D
N R C E I N D O L P A I W
B L O O D S T R E A M R F
I B L P G T D U G D N W T
C K O F I S S U R E A D M
E F N S U P R A C Q Z Z B
P W V G O I L G A T I O C
S P L E E N C I Z H S Z M
```

ADRENAL GLAND
BICEPS
BLOODSTREAM
BREASTBONE
CARPUS
COLON
DUCTS
EPIGLOTTIS
FISSURE
HEART
ILIUM
JUGULAR
LEG
MANDIBLE
NASAL CAVITY
PALATE
PORE
SKELETON
SPLEEN
THROAT
TRACHEA
WRIST

17

Snakes Alive!

```
Q L W B F K P E I O G Q C
C A T R D C N B R K C O S
E G A E L R B W N E B V U
K C I P J T U O R R C S I
A C P I H W H C A O C A U
N K A V B T J T T S Y D R
S S N B Y O S T T R P N F
A E T P D N O I L V L O H
E R B A A N A M E D X C Q
S P E K M R O N S S G A A
V E E O K A O M N L N N P
X N U U K M D A A C A A B
N T U O D C K D K I F N Q
H C O P P E R H E A D Y G
J Y F G D O H P L R S R J
```

ADDER
ANACONDA
ASP
BOA
BOOMSLANG
COACHWHIP
COBRA
COPPERHEAD
COTTONMOUTH
DIAMONDBACK
FANG
FOX SNAKE
KRAIT
PYTHON
RACER
RAT SNAKE
RATTLESNAKE
SEA SNAKE
SERPENT
TAIPAN
VENOM
VIPER

ANT Words

18

H	N	E	G	I	T	N	A	D	R	E	U	B
T	B	C	B	H	F	N	I	O	D	R	B	B
L	Z	A	T	O	T	C	I	T	N	A	K	R
L	F	Q	N	H	A	R	Y	A	T	E	O	E
U	K	A	R	T	E	G	D	P	U	R	N	L
N	V	A	N	T	I	D	O	T	E	O	B	T
I	X	A	N	N	A	V	B	H	G	J	V	N
E	S	A	A	S	E	N	I	I	B	G	F	A
A	U	O	N	A	T	T	T	R	W	R	A	P
Q	H	Q	T	T	N	N	N	I	A	L	N	I
F	T	C	I	A	A	T	A	A	L	L	T	M
E	N	I	O	T	K	R	H	T	Q	L	H	D
T	A	D	C	R	N	A	E	I	V	O	E	K
I	M	E	H	T	N	A	J	S	L	T	R	S
V	Z	J	R	O	A	N	T	R	A	L	C	Q

ANTACID
ANTARES
ANTENNA
ANTERIOR
ANTHEM
ANTHER
ANTHILL
ANTHRAX
ANTHUS
ANTIVIRAL
ANTIBODY
ANTIC
ANTIDOTE
ANTIGEN
ANTIGONE
ANTIHERO
ANTILLES
ANTIOCH
ANTIQUE
ANTLER
ANTRAL
ANTS

19

Classical Music Titles

R	J	B	H	N	E	A	L	O	I	P	A	T
C	I	K	D	O	L	C	I	G	A	R	T	D
P	E	R	O	I	C	A	D	L	J	A	T	X
O	S	S	A	T	X	E	A	F	E	F	A	O
H	T	E	B	C	A	M	A	T	Z	R	G	H
H	U	A	P	E	B	D	O	N	J	U	A	N
A	Y	N	I	R	C	X	M	U	I	I	S	K
M	P	D	O	R	I	N	P	Q	S	D	N	X
L	A	W	T	U	E	I	M	S	X	U	E	T
E	S	N	Q	S	T	B	E	X	L	P	N	S
T	T	N	F	E	F	M	I	O	F	O	A	H
F	O	Y	R	R	N	Z	U	Q	M	N	T	I
D	R	M	F	M	E	R	Q	G	T	D	I	D
F	A	T	R	E	I	D	E	A	F	D	T	H
V	L	J	V	A	S	P	R	I	N	G	W	A

ANTAR
DON JUAN
DON QUIXOTE
EGMONT
EN SAGA
EROICA
HAMLET
IBERIA
JUPITER
KARELIA
MACBETH
MANFRED
MESSIAH
OCEANIDES
PASTORAL
REQUIEM
RESURRECTION
SPRING
TAPIOLA
TASSO
TITAN
TRAGIC

Admirable Adjectives

```
P C L E W B D W V T L O T
G N I S A E L P B B D L M
F N K Y T S U R T E P L O
U Q I D O K F H V A E X D
D V N L L T H I V U L W E
I C D M T H T K D T B O S
D P L G B R I L L I A N T
N C Y O O I A U P F R D S
E F M P T L F T E U I E U
L B P O J L C L S L S R O
P U L G N I T I C X E F I
S U O R E N E G O O D U C
T K Y Y E G N I R U L L A
X O A G G E L B A I L E R
A U L M B D S H I N I N G
```

ALLURING
BEAUTIFUL
BRILLIANT
DESIRABLE
EXCITING
FAITHFUL
GENEROUS
GENTLE
GOOD
GRACIOUS
KINDLY
LOYAL
MODEST
PLEASING
RELIABLE
SHINING
SPLENDID
STARTLING
SUPPORTIVE
THRILLING
TRUSTY
WONDERFUL

21

Seaports

F	G	R	E	J	B	S	E	P	N	U	D	U
V	R	B	G	C	D	A	S	N	B	C	U	B
Q	U	O	B	I	T	F	L	Z	I	D	A	C
P	O	R	T	S	A	I	D	H	E	Z	W	D
R	B	E	H	T	H	B	C	V	N	F	I	W
D	R	O	H	A	E	A	M	O	S	A	K	A
M	E	R	V	V	R	R	N	U	M	B	D	L
A	H	G	H	A	A	G	D	G	M	A	P	I
D	C	B	K	N	N	N	R	A	H	Q	R	S
O	O	E	H	G	T	C	L	K	M	A	G	B
C	J	L	N	E	W	Y	O	R	K	U	I	O
J	N	E	G	R	E	B	D	U	R	B	A	N
H	A	M	B	U	R	G	R	E	V	O	D	Q
L	V	N	W	D	P	S	Y	D	N	E	Y	W
T	Z	L	J	M	K	L	S	W	Z	I	R	N

ANTWERP
AQABA
BELEM
BERGEN
CADIZ
CHERBOURG
COBH
DOVER
DURBAN
ESBJERG
HAMBURG
KARACHI
LISBON
MUMBAI
NEW YORK
OSAKA
PORT SAID
ROTTERDAM
SHANGHAI
STAVANGER
SYDNEY
VANCOUVER

Bendy Words

22

E	X	H	S	F	T	O	M	K	Q	S	C	M
Z	Y	Z	D	B	C	J	S	N	W	M	R	H
W	U	D	I	V	E	R	G	E	R	P	Z	Y
U	E	G	U	Y	L	Z	R	E	W	O	L	F
X	N	L	F	K	F	V	Y	L	C	S	M	D
P	K	A	G	L	E	U	D	B	U	S	D	W
B	M	B	E	N	D	L	N	B	R	E	I	O
T	E	X	I	L	A	R	M	K	V	V	N	L
C	P	W	U	A	U	I	X	I	A	R	O	F
K	P	O	O	T	S	P	A	Y	T	U	E	V
V	M	B	N	S	R	T	L	T	U	C	N	W
D	H	G	I	V	E	W	A	Y	R	R	W	L
F	R	O	G	D	P	C	B	O	E	E	D	G
I	N	C	L	I	N	E	O	T	G	E	X	P
C	P	K	W	O	J	K	Z	E	C	H	W	E

ANGLE
BEND
BIAS
BOW
CROOK
CURVATURE
CURVE
DEFLECT
DEVIATE
DIVERGE
EXERT
FLEX
GIVE WAY
INCLINE
KNEEL
LEAN
LOWER
MOULD
PERSUADE
STOOP
SUBDUE
SUBMISSION
SWERVE
TURN

23 Satellites and Asteroids

```
S Z L J N L D Y E K A N L
L Y N J O A I E D Z X M E
G P H H I M A L I A I R C
K A S T R A E A Z M O C Q
K E N C E L A D U S O P A
I X A A P T U D P U K S O
P Z N V Y H I Y N A B W A
G E L B H E L T I A Q O Q
S U T E P A I T A Z R M H
O R T G C T R O E N C I J
B O B E R O N H B D I M M
O P R I P H K P A L L A S
H A T C K C E P U L M S P
P O T R M I Y A J C Q U I
N N L B M D T S R S K X G
```

AMALTHEA
ASTRAEA
CALYPSO
DEIMOS
ENCELADUS
EROS
EUROPA
HIMALIA
HYPERION
IAPETUS
MIMAS
MIRANDA
OBERON
PALLAS
PHOBOS
PORTIA
PUCK
RHEA
SAPPHO
TETHYS
TITANIA
TRITON

Trees


```
X C R B A B H B H J L W N
S D D S A R U L P Q Y U O
J T Y N E L C I H C R A L
K R A F O W Z M H M J W W
O N E E Z M S E Q U O I A
A N R D D U L N D L V R L
B I H O L M O A K B L I N
E S H O H E S L U E J F U
L J L W K T G P K R A D T
E D X D R M K O L R N N D
K C H E M L O C K Y N A B
A R E R E L P P A B A R C
J Q E D A T E P A L M G F
W F F T A U O X M L B C F
E H Z I M R W J L P V C V
```

ABELE
ALMOND
BANANA
BLACKTHORN
CEDAR
CHICLE
CRAB APPLE
DATE PALM
ELDER
GRAND FIR
HEMLOCK
HOLM OAK
JUDAS TREE
LARCH
LIME
MANNA
MULBERRY
PLANE
REDWOOD
SEQUOIA
WALNUT
WYCH ELM

25

Poems

Z	U	O	J	F	Y	H	N	G	D	K	J	B
Q	L	Q	Y	X	G	D	Q	R	C	R	S	C
H	U	A	P	P	E	Z	A	M	K	H	T	H
G	S	I	R	H	L	J	B	L	F	N	M	T
U	B	B	Z	A	E	W	S	I	A	E	S	W
O	Y	S	M	L	T	H	E	C	L	O	U	D
L	B	E	W	L	T	L	S	A	H	R	T	N
S	T	L	P	O	D	H	S	G	A	U	W	M
E	P	O	D	W	F	U	E	Y	S	E	A	E
V	K	D	O	E	R	H	R	R	S	C	C	R
L	D	R	N	E	T	A	P	P	A	I	I	U
O	K	B	J	N	U	J	Y	R	N	V	R	T
W	J	N	U	N	B	B	C	K	Q	D	E	A
M	H	I	A	I	D	E	R	F	N	A	M	N
N	M	J	N	O	I	R	E	P	Y	H	A	T

ADVICE
AMERICA
CYPRESSES
DON JUAN
ELEGY
FIELD WORK
HALLOWEEN
HASSAN
HYPERION
JANUARY
JERUSALEM
LARA
LESBIA
MANFRED
MAZEPPA
NATURE
SLOUGH
THE CLOUD
THE GHOST
THE RAVEN
TO A LADY
WOLVES

Cheese Board

O	S	M	A	S	Q	M	G	W	D	P	O	K
T	T	R	F	R	I	D	D	E	R	H	M	L
S	I	J	L	T	W	B	O	T	T	I	B	P
X	L	L	O	X	M	Q	A	D	U	O	G	A
I	T	E	S	A	K	P	L	A	C	D	S	T
A	O	B	I	I	A	A	F	H	A	E	G	T
P	N	W	G	C	T	Y	D	N	C	R	T	O
P	D	C	R	N	E	R	I	H	S	E	H	C
W	V	T	E	Z	F	S	E	V	C	Y	H	I
T	P	M	B	G	H	D	T	Z	D	U	D	R
H	M	T	S	B	D	Z	I	E	V	R	E	H
E	A	S	L	A	Q	Q	U	A	R	G	E	L
W	D	U	R	E	G	R	U	B	M	I	L	W
Q	E	L	A	D	Y	E	L	S	N	E	W	A
N	P	D	J	C	D	B	K	R	A	E	K	M

ALPKASE
BITTO
CHEDDAR
CHESHIRE
DANISH BLUE
EDAM
EMMENTAL
FETA
GETOST
GOUDA
GRUYERE
HERVE
JARLSBERG
LEICESTER
LIMBURGER
QUARGEL
RICOTTA
RIDDER
SAMSO
STILTON
TILSIT
WENSLEYDALE

27

Sea Gulfs

V	P	E	G	J	J	H	Z	B	W	P	N	E
C	R	E	C	L	G	L	H	T	L	E	L	T
G	K	C	C	I	R	Q	Y	H	Z	E	U	S
L	D	N	A	L	N	I	F	V	E	R	T	E
A	G	I	R	L	A	E	M	H	A	M	H	I
B	N	U	P	M	I	L	V	Z	A	B	E	R
A	O	N	E	G	B	F	Q	L	I	J	W	T
Q	C	O	N	S	A	L	O	N	I	K	A	N
A	J	V	T	Q	R	F	M	R	M	I	S	L
X	T	F	A	H	A	O	I	A	N	I	H	D
Y	P	E	R	S	I	A	N	H	D	I	L	Y
W	G	U	I	N	E	A	T	R	O	W	A	E
P	A	N	A	M	A	O	A	Z	K	A	T	K
V	I	U	L	R	B	O	C	I	X	E	M	O
N	G	Q	B	J	V	D	H	T	X	N	X	M

AQABA
ARABIAN
BOOTHIA
BOTHNIA
CALIFORNIA
CARPENTARIA
FINLAND
GENOA
GUINEA
IZMIR
MANAAR
MEXICO
PANAMA
PERSIAN
RIGA
SALONIKA
SIDRA
ST MALO
SUEZ
THE WASH
TRIESTE
VENICE

Airports of the World

U	V	N	K	N	A	B	R	U	B	V	W	K
M	L	S	A	V	Y	C	U	A	E	K	O	A
J	E	G	M	H	A	H	R	V	N	B	R	S
V	O	N	I	P	M	A	I	C	G	Q	H	T
L	I	H	M	T	J	N	M	S	U	E	T	R
X	K	F	N	A	F	G	X	E	R	A	A	U
E	S	C	S	F	G	I	E	E	I	O	E	P
M	S	E	I	J	K	N	M	D	O	R	H	O
W	C	T	L	W	A	E	R	T	N	S	H	F
A	H	M	W	L	T	A	N	E	W	A	R	K
H	I	L	I	Y	U	A	D	N	R	W	C	G
S	P	A	E	G	O	D	G	E	E	F	G	H
E	H	V	A	S	A	R	L	A	N	D	A	C
R	O	L	E	B	A	R	I	M	D	A	Y	B
I	L	I	N	A	T	E	S	Q	S	A	H	Z

ARLANDA
BARAJAS
BEN GURION
BURBANK
CHANGI
CIAMPINO
DULLES
GATWICK
HANEDA
HEATHROW
JOHN F KENNEDY
KASTRUP
LA GUARDIA
LINATE
LOGAN
MIRABEL
NEWARK
O'HARE
QUEEN ALIA
RIEM
SCHIPHOL
SHEREMETYEVO

29

Composers

```
S L E N J G N I P O H C O
V Y B W E B E R L I O Z L
S M O I C I O S C R U C D
Q K R X D K M Y Z E X S D
U G O C O L M C Q L C Z D
L W D F N N A M U H C S L
R V I S N M E V U A N U R
R E N K C U R B I M T I E
V P N E S L E I N V V L N
N S M H A R B V S R G E G
P P B K T T I E C A T B A
O V H K L N S S R T H I W
J S A K U D E L I B E S B
O D V A P K A R O V D C X
B T P I K J B A K H F M P
```

BERLIOZ
BORODIN
BRAHMS
BRITTEN
BRUCKNER
CHOPIN
DELIBES
DUKAS
DVORAK
ELGAR
GRIEG
HOLST
IVES
MAHLER
NIELSEN
PROKOFIEV
SCHUBERT
SCHUMANN
SIBELIUS
VIVALDI
WAGNER
WEBER

Major Mountains

B	Z	S	I	F	X	F	I	F	S	H	V	P
C	J	U	N	G	F	R	A	U	O	J	L	X
C	W	B	G	V	R	N	S	I	N	A	I	C
F	X	E	T	S	E	R	O	M	H	S	U	R
T	B	R	I	W	P	L	R	D	A	O	P	U
E	M	E	S	S	Y	I	E	X	W	Y	O	Q
M	P	C	M	M	S	I	T	C	C	O	E	D
A	O	R	P	V	M	H	N	Z	Y	V	N	R
K	R	U	H	G	O	A	O	N	E	G	A	S
A	S	A	M	T	L	G	M	R	L	I	I	C
L	S	U	R	B	L	E	E	E	N	K	O	W
U	G	F	T	A	T	S	J	I	I	O	V	E
M	H	N	O	R	T	L	E	R	K	G	T	R
F	O	R	A	K	E	R	E	B	C	F	E	M
M	N	G	X	T	M	K	R	M	M	I	B	R

ARARAT
COOK
EIGER
ELBRUS
EREBUS
EVEREST
FORAKER
HOOD
JUNGFRAU
KAMET
MAKALU
MCKINLEY
MONT BLANC
MONTE ROSA
OLYMPUS
ORTLER
RAINIER
RUSHMORE
SINAI
SNOWDON
WEISSHORN
ZUGSPITZE

31

New Words

R	W	N	B	H	Y	N	F	H	S	R	D	Z
G	G	N	O	M	R	E	W	B	O	R	N	E
S	S	M	W	O	S	O	O	A	A	S	U	V
T	I	P	G	D	M	Z	E	W	S	O	O	F
P	Z	A	T	A	J	E	R	S	E	Y	F	C
S	P	F	N	K	A	O	X	D	S	Q	G	G
C	V	S	E	J	F	T	Y	I	W	O	F	M
H	P	M	M	Y	S	E	D	R	C	W	O	V
T	Q	M	A	O	A	B	N	L	S	O	V	L
A	D	W	T	R	O	P	A	G	R	U	T	X
Y	P	P	S	K	Z	K	L	B	L	O	O	L
F	W	D	E	L	G	N	A	F	D	A	W	A
P	A	W	T	N	N	C	E	E	L	I	N	E
Y	V	P	P	R	N	L	Z	X	P	Z	C	D
H	E	A	G	F	Y	Y	K	U	O	S	O	Y

BORN
BROOM
DEAL
ENGLAND
FANGLED
FOUND
JERSEY
LINE
MEXICO
MOON
PENNY
PORT
SPEAK
TESTAMENT
TOWN
WAVE
WAY FORWARD
WOMAN
WORLD
YEAR'S DAY
YORK
ZEALAND

African Tribes

S	M	K	R	J	K	Z	V	E	E	K	H	I
N	R	P	G	K	I	B	I	B	I	O	S	N
T	D	I	N	Z	Q	L	I	K	T	F	Z	T
P	W	K	O	O	A	T	U	T	I	J	G	W
Y	F	R	L	M	G	Y	E	I	A	Y	O	M
G	U	X	O	E	U	N	S	R	S	Y	X	C
M	U	S	R	T	T	L	I	N	H	S	H	S
Y	K	A	N	O	O	E	X	D	A	O	A	B
P	U	A	T	U	R	G	B	M	N	B	T	O
T	B	R	F	E	L	E	B	A	T	A	M	O
X	Q	D	W	A	T	U	T	S	I	S	M	V
F	G	Z	K	I	R	U	Z	U	W	U	W	A
P	H	N	C	U	D	S	H	A	E	T	X	Z
N	I	F	A	F	S	A	Z	H	S	O	L	M
D	B	R	R	F	S	I	T	O	A	G	T	F

AFARS
ASHANTI
BANTU
BASUTO
BETE
DINKA
FANG
HAUSA
HOTTENTOT
IBIBIO
KIKUYU
MANDINGO
MATABELE
MUROZI
PYGMY
ROLONG
SAMBURU
SOMALI
SWAZI
TUAREG
WATUTSI
ZULU

33

Bible People

V	B	A	B	Y	O	R	A	A	H	K	Q	N
G	E	T	A	L	I	P	M	D	A	F	O	E
W	I	C	B	D	Z	F	G	A	J	M	K	M
G	A	H	R	A	J	O	U	K	I	U	F	D
Q	M	R	A	N	L	W	A	S	L	R	H	U
Q	O	I	H	I	E	T	Q	R	E	O	I	Q
R	W	S	A	E	M	R	H	A	B	K	P	M
X	E	T	M	L	Y	E	A	A	E	M	E	G
C	H	E	A	M	L	C	R	B	Z	C	T	F
L	T	Q	E	I	C	E	O	E	E	A	E	V
H	T	X	A	E	C	C	P	D	J	L	R	O
O	A	S	B	V	A	I	P	N	K	G	R	C
R	M	E	E	J	I	U	I	E	P	V	O	Z
D	R	C	G	L	N	C	Z	G	Q	P	T	E
Z	Q	A	I	K	H	A	N	O	J	N	B	A

ABEDNEGO
ABEL
ABRAHAM
BALTHAZAR
CAIN
CHRIST
DANIEL
ELIAS
ELIJAH
GOLIATH
JACOB
JEREMIAH
JEZEBEL
JONAH
LUKE
MATTHEW
MIRIAM
PETER
PILATE
REBECCA
SIMON
ZIPPORAH

Arresting Words

J	O	C	E	K	Z	H	X	Q	I	P	R	B
A	Z	I	L	G	C	Y	P	T	T	R	E	J
V	T	D	E	T	A	I	N	R	V	Z	O	T
W	R	S	A	L	C	G	U	L	I	A	J	L
A	R	C	E	K	S	U	N	E	J	S	U	P
J	A	D	U	R	P	Z	S	E	P	H	O	T
C	A	P	T	U	R	E	S	T	R	A	I	N
P	P	H	L	P	W	A	E	Y	O	N	A	A
S	H	O	B	S	T	R	U	C	T	D	G	R
C	I	L	F	X	U	K	C	E	H	C	Y	R
V	N	D	K	C	Z	F	R	U	X	U	H	A
O	D	N	E	H	E	R	P	P	A	F	H	W
Q	E	S	C	G	U	Z	A	Z	I	F	G	T
T	R	K	V	P	P	F	L	X	X	X	I	O
F	T	T	T	M	J	B	Z	Y	G	D	U	P

APPREHEND
ARREST
CAPTURE
CATCH
CHECK
CUSTODY
DELAY
DETAIN
ENGAGE
FIX
HANDCUFF
HINDER
HOLD
INTERRUPT
JAIL
OBSTRUCT
PICK UP
PRISON
RESTRAIN
SECURE
SEIZE
WARRANT

35

Bang!

T	O	R	U	W	Y	K	K	R	Z	S	R	F
Z	R	B	A	T	Z	N	C	R	C	A	U	E
Q	J	Y	G	T	K	C	A	W	H	T	G	V
T	F	W	P	O	T	H	R	A	S	H	Q	S
F	Q	U	O	B	A	L	C	V	A	L	E	A
E	O	E	P	L	E	V	E	J	S	H	Y	W
C	S	K	G	M	B	E	K	G	L	U	M	G
U	L	N	M	J	U	H	I	N	D	O	L	R
S	A	O	I	Q	R	H	R	Q	U	U	K	G
B	P	C	U	P	R	E	T	T	A	L	C	J
I	C	K	Z	T	V	I	S	M	A	L	C	C
F	F	E	C	G	R	P	L	O	A	I	A	N
F	R	Q	I	I	C	H	C	N	U	R	C	T
F	Y	G	G	I	L	W	G	K	K	N	R	J
Y	I	N	J	T	M	H	P	O	U	N	D	C

BANG
BEAT
BIFF
BLOW
CLANG
CLATTER
CLOUT
CLUNK
CRACK
CRUNCH
CUDGEL
KNOCK
LICK
MAUL
POMMEL
POUND
RATTLE
RESOUND
STRIKE
THRASH
THUMP
THWACK

Moon Craters

Y	L	R	T	B	N	D	L	B	V	X	Q	R
L	E	B	E	D	E	V	I	E	W	T	S	P
V	Q	G	B	L	S	L	E	L	D	C	O	Z
O	F	A	R	A	D	A	Y	L	H	N	L	U
Y	R	O	G	I	N	J	O	I	O	R	E	R
K	G	E	C	K	U	B	A	N	H	R	B	M
S	V	H	M	L	M	P	I	G	C	S	O	S
V	N	L	E	U	A	W	W	S	Y	A	N	K
O	J	I	H	R	R	V	A	H	T	P	P	L
K	T	W	E	A	S	S	I	A	U	O	L	A
L	I	L	D	T	M	C	K	U	P	L	A	C
O	L	L	H	Q	S	Z	H	S	S	L	N	S
I	L	S	U	C	I	N	R	E	P	O	C	A
S	E	G	A	G	A	R	I	N	L	V	K	P
T	C	J	I	J	Y	Y	R	E	N	N	E	J

AMUNDSEN
APOLLO
BELLINGSHAUSEN
CLAVIUS
COPERNICUS
DARWIN
EINSTEIN
FARADAY
GAGARIN
HERSCHEL
HUMBOLDT
JENNER
KOROLEV
LEBEDEV
MENDEL
NOBEL
PASCAL
PLANCK
SCHIAPARELLI
TSIOLKOVSKY
TYCHO
VEGA

37 Shakespearean Characters

```
T L B O I H G M R Q T O C
S S K I G L K S F K S J Q
A W U T A A E W Y L X Q Z
R A E L G N I K O A U S J
T C N P I T C U J T L T O
A B E W B O C A U A A P E
P E G R L N R R Y H R C H
O C Z Y I Y K T T E I F J
E E H S S O E M O R E U B
L S A I Q V S Z T M L J T
C R E S S I D A O I C P I
T M H A M L E T E O I R K
M N G B Z B T T P N L D S
C O B E R O N G V E E X M
I B I L B N O D L M A A Y
```

AENEAS
AJAX
ANTONY
ARIEL
BEATRICE
BIANCA
BOTTOM
CATO
CLEOPATRA
COBWEB
CRESSIDA
FLUTE
HAMLET
HERMIONE
IAGO
ISABEL
JULIET
KING LEAR
OBERON
ROMEO
SHYLOCK
TROILUS

Angry Words

L	W	A	E	E	I	A	Q	L	T	J	W	L
W	V	R	G	R	E	N	I	Q	C	H	I	R
E	P	E	A	E	Y	O	F	F	E	N	C	E
N	X	T	L	T	C	N	R	L	C	L	M	P
Z	E	A	L	B	H	J	E	E	A	F	U	M
N	O	I	S	S	A	P	N	T	U	M	R	E
J	A	R	F	P	F	S	Z	R	T	R	E	T
E	V	U	R	N	E	S	Y	B	I	L	S	H
Q	E	F	D	O	P	R	O	V	O	K	E	H
B	I	N	D	I	G	N	A	T	I	O	N	J
I	G	I	R	T	R	C	Z	T	T	M	T	U
E	R	U	S	A	E	L	P	S	I	D	M	O
Z	O	L	H	X	G	R	M	L	I	O	E	Q
L	H	V	S	E	N	E	B	G	H	L	N	X
I	A	J	J	V	A	N	G	R	Y	T	T	M

ANGER
ANGRY
CHAFE
DISPLEASURE
ENRAGE
EXASPERATION
FRENZY
FURY
GALL
INCENSE
INDIGNATION
INFLAME
INFURIATE
IRATE
NETTLE
OFFENCE
PASSION
PROVOKE
RESENTMENT
TEMPER
VEXATION
WRATH

39

Dickens Characters

O	M	V	E	G	O	O	R	C	S	H	C	D
T	I	R	R	O	D	E	E	E	B	Q	E	Y
I	J	B	U	M	B	L	E	C	V	O	I	H
N	H	G	A	W	M	N	I	K	P	I	P	D
Y	A	I	A	M	S	B	I	C	Y	T	L	I
T	Q	C	U	R	U	U	J	G	T	P	Y	O
I	I	R	H	L	M	Z	B	N	A	N	C	Y
M	D	A	E	U	K	F	Z	D	P	F	U	U
H	R	T	Y	B	Z	U	P	L	L	Q	L	F
A	H	C	E	M	A	Z	U	H	E	O	H	C
K	X	H	S	M	A	R	L	E	Y	W	F	P
K	B	I	L	L	S	Y	K	E	S	B	G	D
H	Y	T	L	I	H	C	T	I	W	G	A	M
T	A	E	U	F	A	H	L	T	S	I	R	C
Z	T	T	B	Y	P	E	G	G	O	T	T	Y

BARKIS
BILL SYKES
BULL'S-EYE
BUMBLE
BUZFUZ
CHUZZLEWIT
CRATCHIT
DORRIT
DRUMMLE
FAGIN
MAGWITCH

MARLEY
MICAWBER
MUZZLE
NANCY
OLIVER
PEGGOTTY
PIPKIN
PYKE
SCROOGE
TAPLEY
TINY TIM

Star Trek Original

X	P	O	E	L	B	B	I	R	T	L	N	L
V	O	D	Y	V	U	L	C	A	N	U	T	S
B	X	X	I	Y	O	C	C	M	R	D	Y	S
N	O	G	N	I	L	K	M	S	A	J	E	C
R	A	N	D	R	Q	I	E	K	O	Y	S	O
V	B	M	E	E	S	C	S	H	I	F	L	T
D	I	N	B	S	H	A	I	A	C	U	U	T
R	I	S	I	A	F	X	C	J	H	R	P	Y
N	M	O	P	H	S	W	K	I	E	A	M	E
O	N	E	R	P	I	S	B	D	P	N	I	E
E	L	F	E	D	E	R	A	T	I	O	N	N
L	L	X	X	N	N	L	Y	D	X	H	A	H
H	V	H	J	W	E	A	Y	G	O	C	H	A
V	U	H	U	R	A	U	L	U	S	R	M	C
I	R	E	T	U	P	M	O	C	H	A	L	P

AMBASSADOR
ANDROID
ARCHON
BONES
COMPUTER
DR MCCOY
DR NOEL
FEDERATION
IMPULSE
KLINGON
MISSION
MR CHEKOV
MR SULU
NURSE CHAPEL
PHASER
RED ALERT
SCOTTY
SICK BAY
STUN
TRIBBLE
UHURA
VULCAN

41

Perfect Words

L C U D E T I M I L N U B
A N K N V T L D E F N O W
E E M E R P U S I R R U G
D E Z U N D C L E M Q X X
I L E V I T I S O P R A S
N B L L C I T O P S E D I
D A F Q Y R A R T I B R A
E T A N I M R E T E D A E
P I R C K U C E R T A I N
E R T F S U O I R E P M I
N E H Z A C T U A L F O U
D V E Q T Z U R A P J U N
E L S V C D A E W M V X E
N H T C E F R E P O D N G
T W J W O D E D I C E D Z

ABSOLUTE
ACTUAL
ARBITRARY
AUTOCRATIC
CERTAIN
COMPLETE
DECIDED
DESPOTIC
DETERMINATE
FARTHEST
GENUINE
IDEAL
IMPERIOUS
INDEPENDENT
PERFECT
POSITIVE
REAL
SUPREME
TRUE
UNLIMITED
UNRESTRICTED
VERITABLE

Canadian National Parks

T	P	Y	V	N	A	H	A	N	N	I	B	V
W	G	E	D	K	O	O	T	E	N	A	Y	G
C	X	R	N	N	D	L	S	X	N	W	K	R
P	O	E	A	E	U	O	L	F	Q	I	T	R
O	A	I	L	S	P	F	F	I	J	E	E	A
I	U	C	S	Y	S	U	W	U	R	P	U	K
N	Y	A	I	F	T	L	K	R	S	O	E	I
T	U	L	K	F	L	M	A	A	E	I	F	V
P	I	G	L	J	I	N	J	N	S	L	H	A
E	T	D	E	J	O	C	A	N	D	K	J	L
L	T	D	E	V	I	U	R	V	S	S	W	U
E	U	K	A	J	L	N	B	I	P	P	Z	A
E	Q	R	J	K	K	I	L	I	M	R	I	S
C	I	V	V	A	V	I	K	S	U	P	A	W
O	H	O	Y	T	U	T	N	U	V	J	C	I

AULAVIK
AUYUITTUQ
BANFF
ELK ISLAND
FORILLON
FUNDY
GLACIER
GRASSLANDS
IVVAVIK
JASPER
KEJIMKUJIK
KLUANE
KOOTENAY
NAHANNI
PACIFIC RIM
POINT PELEE
PUKASKWA
SIRMILIK
TERRA NOVA
VUNTUT
WAPUSK
YOHO

43

Look Lively!

W	R	Z	U	T	O	B	B	M	N	E	K	E
X	M	E	S	Y	E	I	X	P	L	R	F	M
R	K	L	H	P	A	Y	C	B	O	Y	V	P
C	T	P	M	O	R	P	M	W	F	L	T	L
H	B	P	W	E	V	I	T	A	R	E	P	O
O	Y	U	J	M	N	A	G	K	G	V	F	Y
J	D	S	S	B	O	E	Q	H	S	I	D	E
L	H	E	U	T	E	B	R	U	T	L	L	D
A	E	H	T	B	L	L	O	G	N	L	Q	E
Z	T	N	E	I	C	I	F	F	E	A	Y	V
Q	Y	O	J	B	R	V	N	X	V	T	P	I
S	U	O	R	O	G	I	V	G	R	O	I	T
W	W	I	B	I	N	N	P	E	E	B	Z	C
O	S	A	C	T	C	G	L	S	F	Z	K	A
K	L	L	J	K	K	A	P	N	E	S	S	Z

ACTIVE
AGILE
ALERT
AT WORK
BRISK
BUSTLING
BUSY
EFFICIENT
EMPLOYED
ENERGETIC
FERVENT
LABORIOUS
LIVELY
LIVING
NIMBLE
OPERATIVE
PROMPT
QUICK
SPIRITED
SPRIGHTLY
SUPPLE
VIGOROUS

Islands

E	Q	H	H	O	S	U	R	P	Y	C	W	U
H	M	S	H	X	E	B	T	G	S	N	H	A
V	P	E	N	A	N	G	T	A	A	S	G	Q
I	K	B	L	M	U	H	R	N	U	U	P	F
C	X	E	Q	V	Y	D	T	Y	E	N	M	V
F	S	L	O	B	I	U	K	R	J	R	A	Y
A	I	E	H	N	C	L	N	O	A	V	Y	V
G	V	C	I	K	J	S	L	C	K	R	P	U
O	S	A	E	R	E	M	S	E	L	L	E	H
T	T	T	J	Y	B	A	R	B	A	D	O	S
L	A	A	A	U	G	I	T	N	A	G	W	N
A	T	I	Z	A	N	Z	I	B	A	R	P	O
N	E	W	D	I	O	P	S	B	Y	V	V	H
D	N	A	L	D	N	U	O	F	W	E	N	S
B	M	N	M	U	E	T	N	P	E	X	U	S

ANTIGUA
BARBADOS
CELEBES
CYPRUS
ELLESMERE
GOTLAND
GUERNSEY
HONSHU
JAVA
KYUSHU
MADAGASCAR
MELVILLE
NANTUCKET
NEWFOUNDLAND
PENANG
RHUM
SARDINIA
STATEN
TAIWAN
TOBAGO
VANUATU
ZANZIBAR

45

Kings and Queens

V	C	D	Y	U	S	D	Y	S	F	T	M	T
Q	R	P	S	D	L	V	T	U	C	P	T	G
Y	W	I	F	Q	E	E	T	K	K	F	Q	S
J	Z	M	C	F	P	R	R	R	X	S	J	D
C	T	W	O	H	E	M	F	A	E	G	O	K
M	H	T	E	B	A	Z	I	L	E	D	Q	E
A	P	N	G	I	J	R	R	V	A	U	W	X
R	R	E	L	A	O	A	D	D	J	E	O	Y
Y	O	L	E	T	H	E	L	R	E	D	Q	B
M	I	Q	C	C	N	I	H	A	R	O	L	D
W	J	I	D	E	T	U	N	A	C	Y	H	U
F	V	A	W	A	H	N	W	G	H	Y	Q	O
D	N	U	M	D	E	D	R	A	G	D	E	U
H	P	L	Y	E	E	G	R	O	E	G	O	G
E	M	E	A	W	S	F	T	M	L	G	B	F

ALFRED
ANNE
CANUTE
CHARLES
EDMUND
EDGAR
EDWARD
EDWY
EGBERT
ELIZABETH
ETHELRED
GEORGE
HAROLD
HENRY
JAMES
JOHN
MARY
MATILDA
RICHARD
STEPHEN
VICTORIA
WILLIAM

Beauty by John Masefield

T	H	E	S	P	R	I	N	G	I	N	G	L
T	G	B	E	A	U	T	Y	G	G	S	N	C
I	G	R	A	S	S	A	N	D	T	T	I	Q
H	H	B	I	N	S	O	L	E	M	N	G	L
T	I	A	S	N	D	O	T	H	T	N	N	D
H	K	L	V	E	Y	S	A	T	S	F	I	S
E	E	I	L	E	N	D	U	G	B	A	R	L
S	N	R	O	S	S	U	N	N	A	M	B	I
O	I	P	N	E	C	E	T	I	S	I	O	D
F	A	A	M	V	V	O	E	G	W	E	W	O
T	P	Y	O	A	C	B	M	N	W	D	T	F
R	S	D	O	H	I	W	M	I	T	M	N	F
L	F	A	R	I	O	T	C	R	N	H	E	A
W	O	L	S	E	K	I	L	B	A	G	E	D
C	A	P	R	I	L	R	A	I	N	W	A	D

I HAVE SEEN
DAWN
AND SUNSET
ON MOORS
AND WINDY
HILLS, COMING
IN SOLEMN
BEAUTY
LIKE SLOW
OLD
TUNES
OF SPAIN.
I HAVE SEEN THE
LADY APRIL
BRINGING THE
DAFFODILS,
BRINGING
THE SPRINGING
GRASS AND
THE SOFT
WARM
APRIL RAIN.

47

Universities

```
U V F P G N I D A E R P O
Y J H E A F E R R A R A O
N S P E G Y A O E I H B X
O J Q H I D Z U N L A L F
D N D B U D I C D O A E O
N M A M S T E R D A M N R
O Z N E N T L L B K P U D
L I G N O P L G B M H R W
S I O N A L I L L E A B A
O B L O V B V U J E R C R
T Q O B E R K E L E Y G W
G Y B R N D R A V R A H I
Y B R O E C O R N E L L C
Z M Y S G M Y S I S W D K
E F T O R O N T O Z J T B
```

AMSTERDAM
BERKELEY
BOLOGNA
BONN
BRUNEL
CAMBRIDGE
CORNELL
FERRARA
GENEVA
HARVARD
HEIDELBERG
IRELAND
LILLE
LONDON
OXFORD
PADUA
PRINCETON
READING
SORBONNE
TORONTO
WARWICK
YORKVILLE

Military Aircraft

48

N N I L F N P H A N T O M
O T G N I L L E W D P E R
O E N D V B U G E X S E U
H M H R E E E W Y S G H M
P O B D N A L R E D N U S
Y K F P O R E R A K S S W
T A W C M G S B V T C W D
K N U A N C H S A M O O E
T I D E H O K N L X Z R F
D L V M B Y G A I E D D I
D A I G R X K K A G R F A
F T Q A P W E S N A A I N
T A Y B I M G H T R K S T
Y C C L U L E K N I E H D
D N A C L U V R Y M N C N

AVENGER
BADGER
BEAR
CATALINA
DEFIANT
DRAKEN
FOCKE WULF
HEINKEL
KOMET
LIBERATOR
MESSERSCHMITT
MIRAGE
MUSTANG
PHANTOM
SKYHAWK
SKYRAY
SUNDERLAND
SWORDFISH
TYPHOON
VALIANT
VENOM
VULCAN

49

Amusement

Y	I	I	J	K	W	E	F	L	G	E	I	J
W	H	W	F	Q	N	M	I	R	T	H	L	B
B	O	E	M	I	T	S	A	P	O	L	D	I
D	X	L	Y	H	N	E	D	D	A	L	G	N
N	I	A	T	R	E	T	N	E	N	E	I	C
F	O	C	L	T	M	R	H	X	V	N	G	C
C	K	I	R	E	I	T	U	I	E	L	E	P
D	A	M	S	A	R	A	E	S	M	I	L	E
I	L	O	I	R	R	C	M	S	A	V	U	V
V	I	C	J	X	E	L	I	U	G	E	B	A
E	V	M	N	D	M	V	T	N	S	N	L	S
R	E	C	R	E	A	T	I	O	N	E	Q	P
T	L	K	L	A	U	G	H	D	Z	Z	Y	O
C	Y	T	M	V	H	V	Q	U	E	V	R	R
I	T	I	C	I	N	C	D	G	V	V	L	T

AMUSE
BEGUILE
CHARM
COMICAL
DECEIVE
DIVERSION
DIVERT
ENLIVEN
ENTERTAIN
FROLIC
GAME
GLADDEN
LAUGH
LIVELY
MERRIMENT
MIRTH
PASTIME
PLEASURE
RECREATION
RELAX
SMILE
SPORT

Human Body

T C K E R D T B E K S W S

E F F O R G A N S S G O H

A A Y R W C T E E F T C P

S I V A K H L O H A Q K P

E H V B I E T L Y B N G B

V N O G J S O E T E F D A

R N H U J T C G E I A N D

E S I V L E P S N T Y S C

N A O T C D G G D E T A S

Y O R X A I E I O N C Y D

R N U M C R H R N D A K J

E W Z E S E L C S U M H E

F T F Z Z I H C A M O T S

E Z Z P E T A O R H T V Z

Z P T H G A N K L E S X I

ANKLES
ARMS
BACKBONE
CHEST
FEET
FINGERS
HANDS
HEAD
KNEES
LEGS
MUSCLES
NECK
NERVES
ORGANS
PELVIS
SHOULDERS
STOMACH
TEETH
TENDONS
THIGHS
THROAT
TOES

51

Cartoon People

D	F	T	K	S	Z	K	N	O	D	Z	J	X
I	E	O	X	N	U	W	S	E	C	Y	J	O
U	Y	P	O	O	R	D	L	P	K	K	K	V
G	N	C	U	S	F	Y	Z	B	I	N	E	X
I	E	A	F	T	O	R	W	R	B	K	Y	J
P	K	T	R	E	Y	O	E	P	M	V	E	W
Y	N	K	V	J	R	D	G	R	A	S	O	U
K	Y	I	A	E	V	A	A	A	B	Q	R	R
R	L	C	I	H	U	F	B	W	M	A	E	Y
O	B	D	J	T	I	F	T	A	G	R	P	D
P	G	R	U	M	P	Y	E	H	B	E	M	N
H	M	I	M	M	A	D	A	M	E	G	U	E
U	Y	D	D	J	I	U	B	L	F	G	H	W
N	P	O	S	G	U	C	S	X	B	I	T	S
N	X	P	Q	D	Z	K	Q	N	A	T	U	M

BABAR
BAMBI
BLYNKEN
BRER FOX
DAFFY DUCK
DEPUTY DAWG
DROOPY
EYEORE
GRUMPY
MADAM MIM
MR MAGOO
NOD
OLIVE OYLE
PORKY PIG
SLEEPY
SPIKE
THE JETSONS
THUMPER
TIGGER
TOP CAT
WENDY
WYNKEN

Geographical Features

J	H	R	U	A	E	K	L	J	I	M	E	M
H	N	E	X	R	K	P	Y	A	O	G	H	A
S	R	S	L	V	R	L	P	U	N	U	C	M
R	E	E	H	L	Y	E	N	E	V	A	P	J
A	V	R	V	C	A	T	I	Q	T	V	C	B
M	I	V	E	T	A	F	S	C	F	S	Q	F
D	R	O	Y	I	S	S	R	D	A	R	X	I
E	N	I	N	G	C	E	I	E	I	L	E	S
Q	K	R	L	C	A	J	R	S	T	P	G	S
N	I	A	L	P	N	X	M	O	A	A	A	U
R	G	C	L	P	Y	O	B	G	F	O	W	R
X	P	X	M	W	O	O	D	L	A	N	D	E
N	K	A	O	R	N	T	R	E	S	E	D	X
L	W	R	A	V	I	N	E	N	I	S	A	B
S	C	I	G	S	T	R	A	I	T	O	V	L

BASIN
CANAL
CANYON
DESERT
FISSURE
FOREST
GLACIER
LAKE
MARSH
MOOR
MOUNTAIN

OASIS
PLAIN
RAPIDS
RAVINE
RESERVOIR
RIVER
STEPPE
STRAIT
SWAMP
WATERFALL
WOODLAND

53 Associated

```
J N W N K Q Y O R M Q X D
I M C U X F L E E N G Z Q
X K I E D A L T V C F T R
C C Q N Z M A T E O V I M
W I O L G I D E U N L C E
S O V M C L N B G N I O J
J B L O P I E R A E I M U
E X S L B A C E E C D P N
T S C M E R N T L T P A Q
A J O O A F F I L I A T E
L C M I M R M N O E R R L
E V P V I R L U C N T I F
R E A E I X A F W D N O I
C O N S O R T D Q K E T B
R D Y C O U P L E H R Z G
```

AFFILIATE
ALLY
ASSOCIATE
COLLEAGUE
COMBINE
COMPANION
COMPANY
COMPATRIOT
COMRADE
CONNECT
CONSORT

COUPLE
FAMILIAR
FELLOW
FRATERNIZE
FRIEND
JOIN
LINK
MINGLE
PARTNER
RELATE
UNITE

Catch Words

O	N	N	S	S	I	D	N	D	S	D	A	W
J	H	C	T	U	L	C	S	N	A	T	C	H
J	K	O	W	E	R	S	A	J	S	X	R	P
S	P	H	O	L	U	P	X	E	T	H	L	X
Y	T	N	W	K	U	N	R	E	U	V	X	K
B	E	U	N	P	L	R	R	I	Z	K	I	H
D	W	Z	A	T	A	U	A	D	S	I	S	I
H	V	T	E	N	T	A	N	G	L	E	E	D
Y	S	O	K	P	C	E	E	K	M	O	A	S
C	F	D	A	Q	H	K	O	N	H	Y	H	F
F	Q	C	T	E	O	E	E	A	T	G	Q	P
E	N	E	R	A	N	S	N	E	H	R	S	U
W	M	P	E	G	T	G	M	C	A	A	A	G
K	P	A	V	C	O	L	L	A	R	B	V	P
A	R	A	O	N	A	S	O	G	D	F	W	N

APPREHEND
ARREST
CAPTURE
CLUTCH
COLLAR
ENMESH
ENSNARE
ENTANGLE
ENTRAP
GRAB
GRASP
HANG ON
HOLD
HOOK
LATCH ONTO
NET
OVERTAKE
SEIZE
SNAP UP
SNATCH
STOP
SURPRISE

Planes

I	T	Z	C	N	A	C	L	U	V	K	L	I
R	S	H	C	K	R	G	D	K	U	B	F	U
T	M	U	S	T	A	N	G	T	W	T	F	C
H	H	N	J	C	V	I	I	E	Y	A	E	D
S	T	U	K	A	E	E	G	M	A	C	H	S
R	R	U	N	C	N	O	B	O	R	M	T	U
M	W	Z	C	D	G	B	U	C	Y	O	E	V
N	H	O	R	N	E	T	S	O	K	T	D	I
O	F	L	S	J	R	R	U	N	S	W	T	X
N	N	E	G	G	I	V	B	C	V	T	L	E
F	I	H	S	I	F	D	R	O	W	S	L	N
R	P	K	A	P	T	I	I	R	L	G	G	F
G	L	X	H	W	I	B	A	D	A	T	Y	T
T	R	V	A	M	P	I	R	E	U	C	O	D
J	Y	B	V	I	S	C	O	U	N	T	V	Y

AIRBUS
AVENGER
BOEING
COMET
CONCORDE
EAGLE
GNAT
HAWK
HORNET
MUSTANG
NIMROD
SKYRAY
SPITFIRE
STUKA
SWORDFISH
THUNDERBOLT
TOMCAT
VAMPIRE
VIGGEN
VISCOUNT
VIXEN
VULCAN

US Universities

P	E	T	O	S	F	A	V	S	Y	B	T	R
W	A	L	S	H	A	R	C	A	D	I	A	E
M	S	H	A	T	I	N	D	I	A	N	A	I
N	T	L	I	B	R	E	D	N	A	V	H	V
G	C	E	B	J	F	A	C	T	G	P	H	A
V	A	I	M	Q	I	W	Y	L	L	H	G	X
D	R	L	U	K	E	T	T	E	R	I	N	G
R	O	U	L	F	L	A	D	O	R	L	A	J
A	L	N	O	A	D	A	V	E	Q	L	R	B
V	I	F	C	H	U	N	T	I	I	I	O	W
R	N	A	N	N	O	D	A	M	H	P	P	T
A	A	C	A	M	P	B	E	L	L	S	A	Y
H	A	Y	L	S	T	F	U	T	K	U	E	D
S	S	C	M	G	D	R	O	F	D	A	R	Y
V	U	L	T	Z	Z	X	G	T	K	V	O	P

ADELPHI
ARCADIA
CAMPBELL
COLUMBIA
EAST CAROLINA
FAIRFIELD
GALLAUDET
HARVARD
INDIANA
KETTERING
MADONNA
NAROPA
OAKLAND
PHILLIPS
RADFORD
SAINT LEO
STRAYER
TUFTS
VANDERBILT
WALSH
XAVIER
YESHIVA

57

Art Titles

T	F	N	G	N	I	R	P	S	F	P	V	E
X	G	O	Z	T	A	C	I	N	R	E	U	G
T	H	G	U	I	H	O	K	S	N	R	P	U
C	U	X	N	N	L	E	E	U	I	S	S	L
I	U	B	M	Y	T	L	S	T	R	E	A	E
R	O	P	M	L	B	A	I	C	V	U	A	D
W	K	P	I	B	N	V	I	M	R	S	A	I
B	I	D	U	D	F	M	V	N	E	E	J	T
A	I	B	M	N	I	A	W	Y	A	H	A	L
S	Z	A	O	R	N	H	N	Q	U	I	T	M
E	R	A	D	A	Q	D	N	N	R	B	N	H
S	H	I	P	W	R	E	C	K	O	N	Y	U
I	R	I	S	E	S	D	B	A	R	D	S	L
G	C	O	A	H	E	M	O	L	A	S	A	K
D	Z	Y	Z	T	S	L	A	V	E	S	B	M

AURORA
BUBBLES
CUPID
DEDHAM VALE
DELUGE
FOUNTAIN
GUERNICA
HAY WAIN
IRISES
MADONNA
NOAH
OLYMPIA
PERSEUS
RAINBOW
SALOME
SHIPWRECK
SLAVES
SPRING
THE MILL
THE SCREAM
THE WAR
VENUS AND MARS

Endangered Species

R	S	V	M	V	J	D	F	R	X	U	M	F
Y	E	K	N	O	M	R	E	D	I	P	S	E
N	C	T	M	A	N	A	T	E	E	N	B	U
N	O	G	A	R	D	O	D	O	M	O	K	Z
D	N	S	R	E	L	E	P	H	A	N	T	L
Q	D	Y	I	O	T	N	O	T	O	A	X	F
G	O	U	N	B	P	N	L	R	U	M	E	L
P	R	Q	E	E	Z	N	A	P	M	I	H	C
M	G	C	T	A	Y	N	R	T	B	A	O	E
M	I	O	U	W	G	A	B	K	N	C	J	Y
U	B	U	R	U	C	H	E	E	T	A	H	C
X	B	G	T	I	P	G	A	Y	G	Q	I	X
V	O	A	L	K	L	H	R	U	A	S	Y	G
Z	N	R	E	L	M	L	A	Y	C	R	Z	R
G	N	O	G	U	D	R	A	P	O	E	L	C

AYE-AYE
BISON
CAIMAN
CHEETAH
CHIMPANZEE
CONDOR
COUGAR
DUGONG
ELEPHANT
GIANT ANTEATER
GIBBON
GORILLA
JAGUAR
KOMODO DRAGON
LEMUR
LEOPARD
MANATEE
MARINE TURTLE
ORANGUTAN
ORYX
POLAR BEAR
SPIDER MONKEY

59 Architecture and Building

S	Q	Q	X	F	G	D	P	V	Y	X	N	I
J	T	U	D	U	S	S	E	R	T	T	U	B
K	L	O	J	H	G	S	E	O	R	O	O	F
F	E	I	R	D	T	L	U	A	V	P	E	I
M	T	N	Y	I	L	N	N	P	H	W	Z	I
P	N	M	B	A	E	S	E	V	Y	L	S	M
O	I	U	G	Y	O	D	O	M	E	T	O	A
F	L	L	E	M	E	D	J	T	E	X	C	E
E	N	O	T	S	P	A	C	E	Q	S	N	T
F	O	C	T	E	C	U	P	O	L	A	A	E
A	M	A	E	Z	D	L	F	R	V	T	F	C
W	L	T	E	A	E	R	B	A	R	C	H	Y
C	O	V	I	N	G	Y	W	I	N	D	O	W
J	D	V	C	B	U	Z	U	L	J	S	D	K
L	Y	G	T	J	E	M	O	Z	R	M	L	L

ARCH
ATRIUM
BUTTRESS
CAPSTONE
CASEMENT
COLUMN
COVING
CUPOLA
DOME
GALLERY
LINTEL
PEDESTAL
QUOIN
RAIL
ROOF
STEEPLE
STORIED
TRANSOM
VAULT
VESTIBULE
VIADUCT
WINDOW

TIN and CAN

V	C	R	A	T	Y	T	R	E	K	N	I	T
D	A	A	E	I	T	W	W	G	C	E	J	I
V	Z	E	N	N	O	C	A	N	A	R	Y	N
B	W	L	O	C	E	G	N	I	T	U	A	T
S	W	D	T	T	A	P	M	C	N	T	T	E
S	W	N	S	I	G	N	O	A	I	C	S	Q
O	R	A	N	N	N	C	N	N	T	N	A	R
L	T	C	I	S	Y	N	W	I	I	I	N	W
F	I	A	T	E	O	H	I	S	B	T	A	K
Y	N	N	E	L	I	B	A	T	N	A	C	N
D	T	D	A	S	A	Y	Q	E	U	A	L	H
N	Y	E	T	I	N	H	O	R	N	S	U	N
A	P	L	W	A	U	P	I	A	J	X	V	A
C	E	A	O	T	I	N	D	E	R	G	J	X
W	H	G	L	F	J	A	X	K	K	L	H	O

CANADA
CANARY
CANASTA
CANCAN
CANDELA
CANDLE
CANDY FLOSS
CANISTER
CANNIBAL
CANTABILE
TIN OPENER
TIN WHISTLE
TINCTURE
TINDER
TINGE
TINHORN
TINKER
TINNITUS
TINSEL
TINSTONE
TINTACK
TINTYPE

61 British Counties

```
K A A G A X I X K W E U L
B T N E K Y T T E F S F I
Y N B O E Q A P O W Y S N
G E I E R Y G S O E J G C
U W R T S F X D R S K C O
M G S I X C O R N W A L L
D Z D A H R U L Z F X W N
C E S U S S E X K I R Y S
W C V E U G P D E F Y D H
M A T O G C U M B R I A I
H Z A F N N R E A W Y O R
C F V L A N C A S H I R E
N L E I Y O R E G S R J Y
F J R N R V C V A A E U M
Z N C T M A J O D I Q X D
```

ANGUS
AVON
CLWYD
CORNWALL
CUMBRIA
DEVON
DORSET
DURHAM
DYFED
ESSEX
FLINT
GWENT
HAMPSHIRE
KENT
LANCASHIRE
LINCOLNSHIRE
NAIRN
NORFOLK
POWYS
SURREY
SUSSEX
TAYSIDE

Religious Leaders

S	A	H	D	D	U	B	P	U	V	W	K	H
U	P	L	O	Y	O	L	A	N	I	E	Y	J
S	H	L	T	A	S	X	C	N	S	S	C	D
E	L	E	V	C	Q	O	I	C	U	L	Y	E
J	U	S	E	G	I	E	I	I	M	E	H	M
F	C	S	M	R	M	D	C	R	S	Y	Q	M
I	I	U	E	O	D	U	E	L	A	G	C	A
G	U	R	H	B	F	Z	O	N	R	K	R	H
N	S	K	Y	N	I	W	E	A	E	G	A	O
A	B	J	O	E	E	U	H	A	B	B	N	M
T	A	C	W	D	U	A	S	W	E	M	M	N
I	Q	H	X	E	M	F	L	U	T	H	E	R
U	C	R	Z	W	I	N	G	L	I	W	R	L
S	A	R	T	S	U	H	T	A	R	A	Z	Y
H	U	H	O	H	G	N	H	T	O	O	B	V

BENEDICT
BOOTH
BUDDHA
CONFUCIUS
CRANMER
ERASMUS
EUSEBIUS
GRAHAM
IGNATIUS
JESUS
KHOMEINI
LOYOLA
LUCIUS
LUTHER
MAKARIOS
MOHAMMED
RUSSELL
SWEDENBORG
WESLEY
WOLSEY
ZARATHUSTRA
ZWINGLI

63

ART Words

L	D	Y	D	H	N	B	U	Q	M	L	N	L
L	C	A	R	T	E	S	I	A	N	K	A	V
T	C	A	F	E	T	R	A	W	X	D	S	S
T	S	S	S	E	L	T	R	A	L	R	I	T
A	Z	N	X	U	S	L	W	A	A	M	T	R
D	R	A	F	M	L	A	I	R	E	T	R	A
Q	V	T	Z	R	V	C	T	T	A	O	A	R
K	R	A	Y	O	I	I	R	H	R	R	I	T
A	K	G	R	F	S	A	A	R	T	A	L	E
P	R	Y	I	T	H	P	U	O	E	R	N	R
G	W	T	E	R	I	C	I	P	R	T	Q	Y
C	R	G	W	A	K	S	Q	O	I	I	W	H
A	Q	N	H	O	A	R	T	D	E	C	O	T
I	V	M	Z	I	R	X	W	R	S	L	O	F
B	E	L	V	I	Y	K	H	C	Y	E	G	V

ART DECO
ART FORM
ARTAL
ARTEFACT
ARTEMIS
ARTERIAL
ARTERIES
ARTERY
ARTESIAN
ARTFUL
ARTHROPOD
ARTICLE
ARTIFICIAL
ARTILLERY
ARTISAN
ARTISTE
ARTISTRY
ARTLESS
ARTOIS
ARTS
ARTWORK
ARTY

Medical

K	S	A	Y	S	O	R	P	E	L	O	R	F
U	L	S	M	S	U	W	T	A	T	T	S	N
A	K	O	O	E	P	R	S	A	A	S	G	J
F	P	S	N	O	Z	E	I	B	H	H	T	G
L	P	P	Z	E	P	C	L	V	E	H	S	E
E	H	U	E	T	H	E	E	A	Y	H	D	I
X	S	K	I	N	T	P	R	R	T	B	L	N
O	U	C	K	S	D	T	O	A	Z	A	O	F
R	O	E	U	B	R	I	A	T	T	X	C	L
V	I	H	X	A	D	O	C	L	U	I	I	U
L	L	C	T	J	V	N	A	I	L	K	O	E
A	I	E	X	A	M	I	N	A	T	I	O	N
A	B	S	C	E	S	S	J	J	V	I	X	Z
H	Y	L	H	L	C	T	M	U	M	P	S	A
P	B	S	I	S	P	E	S	S	M	G	D	W

ABSCESS
APPENDICITIS
ASEPTIC
AXILLA
BILIOUS
CATALEPSY
CHECK-UP
COLDS
ECZEMA
EXAMINATION
FLEXOR
HEART RATE
INFLUENZA
LEPROSY
MUMPS
OPERATION
PHENOL
RECEPTIONIST
SEPSIS
TABLETS
THYROID
VIRUS

65

Main Words

O	A	Y	A	I	U	R	A	D	B	V	B	N
A	Y	H	F	W	R	E	E	C	I	F	F	O
S	W	B	S	L	B	C	S	M	C	S	J	M
M	Y	V	M	A	K	J	U	R	A	N	I	T
S	Y	V	N	Z	A	L	A	B	U	R	F	Q
W	H	A	G	G	I	M	L	E	P	O	F	M
T	A	E	T	N	L	E	C	N	A	H	C	R
M	I	T	E	S	I	N	B	R	E	N	O	T
H	H	S	E	T	A	R	R	E	C	A	R	B
D	J	P	R	R	S	M	P	A	D	W	D	T
O	H	A	T	E	P	A	P	S	O	U	A	Y
I	X	N	S	A	O	C	M	O	D	O	M	D
K	E	I	X	M	T	S	L	N	T	D	Z	A
E	G	S	A	C	X	Y	A	I	R	X	I	K
H	U	H	G	M	V	L	G	O	Z	D	B	K

BRACE
CHANCE
CLAUSE
COURSE
DECK
ENTRANCE
FRAME
LAND
LINE
MAST
OFFICE
REASON
ROADS
SHEET
SPANISH
SPRING
STAY
STREAM
STREET
TOPMAST
TOPSAIL
WATER

Throwaway

K	O	R	A	Y	D	R	N	P	D	I	O	V
Q	U	A	S	H	V	V	A	L	E	U	X	T
R	E	E	E	E	Y	D	B	A	S	Q	V	M
F	T	T	T	R	O	Z	O	E	T	A	G	P
T	A	A	A	A	B	S	L	P	R	W	N	R
C	G	P	S	D	L	W	I	E	O	H	E	E
P	O	R	I	I	I	I	S	R	Y	S	T	V
A	R	I	D	C	T	L	H	W	C	I	U	O
L	B	T	E	A	E	T	A	I	Q	U	O	K
P	A	X	P	T	R	T	N	V	N	G	P	E
Q	J	E	A	E	A	D	K	H	N	N	M	W
X	E	C	V	N	T	C	P	L	A	I	A	V
P	A	O	N	L	E	C	N	A	C	T	T	H
V	N	U	L	L	I	F	Y	J	R	X	S	Y
G	L	T	G	R	S	U	P	P	R	E	S	S

ABOLISH
ABROGATE
ANNIHILATE
ANNUL
CANCEL
DESTROY
ERADICATE
EXTINGUISH
EXTIRPATE
INVALIDATE
NULLIFY
OBLITERATE
OVERTHROW
QUASH
REPEAL
RESCIND
REVOKE
SET ASIDE
STAMP OUT
SUPPRESS
VACATE
VOID

67

Cheating

W	D	O	O	Y	Q	T	D	H	Z	P	Z	C
F	A	H	S	J	V	S	M	Z	D	C	V	D
D	N	O	U	T	W	I	T	J	S	G	I	B
B	Y	F	C	Z	S	C	O	Q	H	C	Z	S
X	O	R	K	L	L	C	H	E	A	T	C	V
X	C	L	E	L	Z	O	O	B	M	A	B	O
T	E	A	R	N	A	O	O	N	M	U	Z	Q
D	D	E	F	R	A	U	D	F	T	Z	T	B
D	T	D	R	B	U	C	W	U	U	Q	D	M
M	C	R	E	A	U	L	I	P	J	R	F	A
N	V	I	A	C	N	G	N	H	B	L	J	K
E	T	P	K	P	E	S	K	K	C	I	R	T
P	C	O	J	S	W	I	N	D	L	E	Y	I
U	L	F	H	U	S	X	V	E	O	S	X	R
D	W	F	H	U	S	T	L	E	Y	B	C	R

BAMBOOZLE
CHEAT
CHICANERY
CON
CUCKOLD
DECEIVE
DECOY
DEFRAUD
DUPE
ENSNARE
FOOL
HOODWINK
HUSTLE
MISLEAD
OUTWIT
RIP OFF
SCAM
SHAM
SUCKER
SWINDLE
TRAP
TRICK

Distance

H	E	O	Y	D	B	Q	U	E	O	V	T	V
T	U	U	T	F	B	T	C	M	W	V	R	Q
D	T	P	I	N	H	A	E	G	E	B	W	E
I	O	H	N	G	P	Q	S	W	R	T	M	Y
W	O	D	I	S	T	T	N	E	I	E	R	F
T	F	E	F	E	Z	P	A	E	R	M	U	E
T	H	Z	N	Y	X	D	P	T	I	R	E	A
E	F	I	I	W	T	T	X	L	L	L	S	C
R	A	F	C	H	F	E	E	O	K	I	O	R
U	T	P	U	K	H	G	N	N	B	M	L	E
S	H	I	M	T	N	G	V	I	T	I	C	A
A	O	L	G	E	T	E	R	N	I	T	Y	G
E	M	N	I	Z	X	B	S	A	R	F	Y	E
M	E	K	Z	I	X	P	T	S	T	T	O	G
L	S	Z	L	S	M	D	N	O	Y	E	B	U

ACREAGE
BEYOND
BREADTH
CLOSE
ETERNITY
EXPANSE
EXTENT
EXTREME
FATHOM
FOOT
FURLONG
HEIGHT
INFINITY
LENGTH
LIMIT
MEASURE
METRE
MILE
SIZE
SPACE
THICKNESS
WIDTH

69

Light as Air

V	E	R	R	X	O	J	Z	O	N	H	P	B
E	S	R	O	O	D	T	U	O	R	E	I	E
M	S	S	E	N	T	H	G	I	L	N	M	H
E	M	S	E	H	A	W	Z	I	A	V	S	J
L	L	C	C	N	P	D	B	R	E	E	Z	E
O	G	B	Y	B	N	S	Z	X	R	N	D	X
D	I	M	B	I	R	E	O	F	E	T	U	P
Y	I	B	U	U	P	E	P	M	H	I	Z	O
R	Y	Z	O	H	B	D	A	O	T	L	H	S
N	E	G	Y	X	O	G	F	T	E	A	Z	E
J	T	R	A	I	R	T	I	G	H	T	D	P
K	I	A	N	R	W	C	U	R	R	E	N	T
A	H	C	C	N	O	S	X	T	T	G	I	A
W	H	E	Y	A	L	P	S	I	D	L	W	H
Y	G	E	Y	C	B	Q	E	G	M	R	W	A

AIRTIGHT
AIRY
ATMOSPHERE
BLOW
BREATHE
BREEZE
BUBBLE
BUOYANCY
CURRENT
DISPLAY
ETHEREAL
EXPOSE
FRESH
GRACE
LIGHTNESS
MELODY
OPENNESS
OUTDOORS
OXYGEN
VENTILATE
WIND
ZEPHYR

Baking a Cake

70

```
G P U M M Q P P Q R O I S
I L Y M T R S F E B Y L X
A D A S S P A T U L A B B
Q J R C C A A A W E V T S
B U T T E R N O O P S C U
F V I Y G C E D C A N N G
A Y N N G H H A W S H A A
O X F S S M R E M I X E R
J L O A T E T A R O C E D
H Q J U G N I C I R L H J
D H S U L T A N A S I R O
E Q V L U O I R I B I E L
V Q Q T F L O U R S O N S
Y A R O W A T E R U W G S
D Y R B B J C F Q F C X V
```

BUTTER
CREAM
CURRANTS
DECORATE
EGGS
FLOUR
FRUIT
GLACE CHERRIES
GRATER
ICING
JAM
MIXER
PARCHMENT
RAISINS
SANDWICH
SPATULA
SPOON
SUGAR
SULTANAS
TIN
TRAY
WATER

71

Back...

Y	A	R	D	S	T	K	D	V	K	T	X	J
V	I	E	Q	Z	L	C	G	M	K	H	O	R
W	B	T	A	T	R	A	C	K	I	N	G	W
I	Y	A	W	A	M	B	P	G	A	N	S	K
O	C	W	J	M	O	O	R	P	Q	O	Q	A
X	C	O	O	K	F	T	U	J	I	V	L	G
Q	S	N	Q	O	R	X	D	T	V	N	D	J
T	B	G	P	E	D	A	L	L	I	N	G	U
M	X	S	N	E	T	S	K	Y	O	S	R	K
K	Y	R	D	I	T	R	M	Y	L	E	V	V
G	U	N	N	E	B	R	E	A	K	I	N	G
B	A	G	E	R	R	B	E	C	N	E	Z	P
H	L	R	A	I	F	T	A	T	A	N	S	D
K	T	C	M	O	N	P	D	T	I	P	J	R
S	E	J	W	H	C	P	N	B	S	B	S	T

AWAY
BITER
BRACE
BREAKING
BURNER
DATING
GAMMON
HANDED
OF BEYOND
OUT
PACKER
PEDALLING
ROOM
SLAPPING
SPACER
STABBING
STREETS
TO BACK
TRACKING
WATER
WOODSMAN
YARDS

...Forth

T	P	M	Z	F	B	P	X	E	R	W	O	O
R	G	R	Q	P	B	R	O	U	G	H	T	O
W	I	K	F	S	A	U	F	S	I	B	L	X
S	E	G	O	E	C	V	B	S	D	J	I	B
Q	Y	N	H	T	K	S	B	I	H	N	E	X
D	G	I	T	T	A	W	Z	C	Q	M	A	J
D	B	R	R	I	N	T	T	L	Q	G	G	F
X	N	B	I	N	D	E	L	L	A	C	W	E
A	M	P	F	G	R	P	S	A	F	E	O	G
B	N	O	S	T	H	U	A	S	A	C	Y	S
N	M	U	S	K	Q	T	L	C	O	M	E	H
K	P	R	E	X	O	T	L	M	M	I	B	T
K	U	S	P	D	B	I	I	Y	V	M	Y	F
B	G	D	I	E	C	N	E	H	T	I	W	Q
B	G	N	I	O	G	G	D	W	P	Q	B	X

AND SO
BACK AND
BRING
BROUGHT
BURST
CALLED
COME
COMING
FIRTH OF
GOING
HENCE
ISSUE
POURS
PUTTING
RIGHTLY
RIGHTNESS
SALLIED
SETTING
STRETCH
THENCE
WENT
WITH

73

The Aim is Clear

D S A Y V B Z G Z C K V S
W I N T E N T I O N J Y E
U A T G T M W Y B A V O O
A M P A I E E T J K L R C
Q V O U G S M H E Z P A X
Q N I A R T E P C P S D M
E T N P O P T D T S U T V
S N T L V Z O J I X Y F C
U S F A H J H S V B G J A
J P I N T E N D E N C Y T
Y E R G O K S J I B V D A
Y L D T H S T R W R I T R
G R G D P T A Z U K E E G
T R O F F E B E I O W C E
J X P G B M M A R K C A T

ATTEMPT
BEARING
COURSE
DESIGN
DIRECT
DRIFT
EFFORT
GOAL
INTEND
INTENTION
MARK
OBJECTIVE
PLAN
POINT
PURPOSE
REASON
SCHEME
SIGHT
TARGET
TENDENCY
TRAIN
VIEW

Lord of the Rings

C	C	N	A	H	T	R	O	A	S	W	C	R
R	S	L	B	T	I	Z	F	N	Y	W	O	E
H	U	I	G	M	U	L	L	O	G	L	D	F
P	T	G	A	N	D	A	L	F	Y	O	A	F
M	E	R	I	A	D	O	C	A	R	G	B	A
Q	A	E	A	E	L	A	L	A	W	A	P	G
F	F	B	H	E	L	M	S	D	E	E	P	I
M	B	U	T	T	E	R	B	U	R	M	T	M
A	W	K	H	N	D	L	I	Y	I	S	F	L
J	M	Z	E	A	N	E	D	M	C	A	V	I
O	I	D	O	M	E	G	L	D	O	R	T	C
C	B	R	D	U	V	O	M	R	I	R	H	F
E	C	N	E	R	I	L	L	B	O	M	O	G
S	H	I	N	A	R	A	G	O	R	N	N	B
P	Z	N	K	S	X	S	X	C	O	O	D	P

ARAGORN
BERGIL
BOROMIR
BUTTERBUR
EDORAS
ELROND
EOWYN
FARAMIR
GAFFER
GANDALF
GIMLI
GOLLUM
HELM'S DEEP
LEGOLAS
MERIADOC
MIDDLE EARTH
ORCS
ORTHANC
RIVENDELL
SARUMAN
SMEAGOL
THEODEN

75

Famous Films

T	W	Y	Q	P	O	C	O	B	O	R	O	V
G	N	I	T	S	E	H	T	N	N	F	V	Q
Z	S	Q	A	G	A	T	H	A	H	T	Y	Q
O	O	X	U	H	O	N	E	T	W	O	R	K
M	T	D	D	O	K	B	B	R	F	P	U	Z
Q	M	Z	T	S	V	O	I	O	P	H	Y	Y
G	T	S	W	T	Y	A	R	P	G	A	R	A
O	I	J	E	U	T	U	D	R	D	T	N	C
E	A	I	A	J	H	Y	S	I	E	A	X	C
F	L	D	O	N	E	I	L	A	S	W	D	E
H	F	C	E	X	E	O	U	T	M	G	J	B
R	I	B	I	C	H	E	A	E	U	H	R	E
J	E	X	O	D	U	S	Y	V	G	S	J	R
Q	B	U	L	L	I	T	T	R	I	X	Q	I
A	P	O	C	A	L	Y	P	S	E	N	O	W

AGATHA
AIRPORT
ALFIE
ALIEN
ANASTASIA
APOCALYPSE NOW
BEN HUR
BULLITT
EL CID
EXODUS
GHOST
HOLIDAY
JANE EYRE
NETWORK
PETER PAN
QUO VADIS
REBECCA
ROBOCOP
THE BIRDS
THE STING
TOOTSIE
TOP HAT

How Sweet

G	S	M	Y	I	W	P	H	P	Z	X	Z	F
E	N	G	N	I	L	L	E	M	S	O	H	N
E	P	Y	N	R	E	D	I	C	B	W	M	I
W	I	L	L	I	A	M	E	H	R	X	J	K
B	C	P	N	N	H	N	E	E	N	S	C	I
J	K	J	S	A	T	T	V	S	U	R	Y	X
Y	L	F	S	E	P	E	O	T	A	T	O	P
E	E	X	D	G	N	I	D	N	U	O	S	C
V	Y	W	A	G	H	K	Z	U	Q	O	U	F
Y	R	R	E	H	C	B	U	T	L	T	W	B
R	E	F	R	E	P	P	E	P	R	H	A	W
X	V	B	B	E	S	E	H	K	L	A	T	E
W	O	U	I	E	H	A	O	A	W	N	E	K
I	L	Y	Q	B	A	S	I	L	I	T	R	H
N	C	U	J	C	U	M	N	Q	N	T	C	J

BASIL
BREADS
CHERRY
CHESTNUT
CIDER
CLOVER
CORN
HEART
NOTHINGS
PEAS
PEPPER
PICKLE
POTATO
REVENGE
SCENTED
SHERRY
SMELLING
SOUNDING
TALK
TOOTH
WATER
WILLIAM

77

European Regions

```
E O Z O N N B T M S P W Q
Q R E A W H U S J I T R V
W Q E N E S S E H Q A S Q
O R L S C Q H U G I R Y F
W K A A I C U L A D N A T
K U N S O Y A J R O H I L
Y Y D M C R E J X H R H U
Y I Z Z U R B A L O O T Q
F T V S R G S I L O A N S
Y D N A M R O N E S I I E
Z X V O E U C A O E C R I
G A Y W R B Q P N G R A E
N E O G G M L M L S U C Y
U L S N A I V A R O M Z H
A D S P F L P C G V H U B
```

ABRUZZI
ANDALUCIA
CAMPANIA
CARINTHIA
GLARUS
HESSEN
ISERE
LEON
LIMBURG
LOIRE
LOWER SAXONY
MORAVIA
MURCIA
NAVARRE
NORMANDY
RHONE
TARN
TIROL
TUSCANY
VOSGES
ZEELAND
ZUG

Bible Characters

Z	A	R	Z	E	R	O	G	L	S	O	O	V
L	B	A	H	H	E	L	E	K	X	X	J	Q
K	E	L	I	Z	A	B	E	T	H	C	S	E
O	H	T	S	C	A	I	F	P	G	U	K	Y
V	S	Z	R	J	R	Q	R	H	E	Q	H	H
W	H	J	E	R	O	B	O	A	M	C	P	U
B	T	O	K	H	N	B	H	R	H	E	U	B
H	A	A	C	C	E	P	H	A	S	C	W	W
B	B	N	C	R	L	G	I	O	U	S	E	D
O	I	N	M	A	D	M	J	H	W	E	I	Z
W	T	A	V	C	E	I	C	J	B	S	K	V
C	H	L	G	H	L	V	V	C	A	O	C	P
B	A	V	E	E	M	O	L	A	S	M	V	F
B	E	N	Y	L	S	X	C	S	D	B	S	J
W	L	J	K	T	J	H	E	V	X	U	H	L

AARON
ABEL
ALPHAEUS
BATHSHEBA
CEPHAS
DAVID
ELIZABETH
EZRA
HAM
ISAAC
JEROBOAM
JOANNA
JOB
JOSEPH
LEAH
MOSES
NEHEMIAH
PHARAOH
RACHEL
SALOME
TABITHA
ZECHARIAH

79

A Walk in the Park

```
Y H V N P H P O B U S Y V
T N P I G A J L U G K Q E
D I A L K Y V S N A L P N
T A N F D U E I Y M O N Z
K T W S R E W O L F I R B
K N W Y S S Z G L I R O H
E U T A T S L O O P O U D
B O W L I N G G R E E N O
P F C N R Y R A I V A D M
O Q N A Z Y A G E T P A D
F E T A F J S R S P G B M
T P R Z J E S D M A O O T
L C E L A W N R U T U U V
S U E T F A V C Z H I T S
V M S H B U S H E S A K E
```

AVIARY
BANDSTAND
BOWLING GREEN
BUSHES
CAFE
CRAZY GOLF
FENCE
FLOWERS
FOUNTAIN
GRASS
LAWN
PATHS
PAVILION
PLANS
POOLS
ROUNDABOUT
SEATS
SEESAW
STATUE
SWINGS
TENNIS
TREES

Lakes

J	H	S	K	Y	F	J	T	R	Y	M	X	Z
O	C	R	A	V	B	F	H	J	X	D	Y	M
Q	I	H	M	C	R	W	U	Y	E	A	E	W
R	R	R	E	S	S	A	N	G	I	Z	E	E
J	U	L	A	K	I	A	B	R	V	O	S	R
X	Z	V	N	T	G	N	B	M	H	Y	R	U
B	Y	V	C	O	N	S	T	A	N	C	E	C
H	M	V	D	V	I	O	T	G	H	W	T	O
M	A	A	D	R	A	G	E	G	L	T	T	V
U	L	W	Z	S	D	N	J	I	C	H	A	E
W	A	E	I	R	E	T	O	O	R	T	J	W
I	W	S	N	V	R	P	M	R	T	D	T	Y
D	I	C	A	L	P	O	B	E	U	R	U	I
U	N	E	R	Y	E	B	R	E	B	H	K	T
U	U	H	I	N	N	N	H	J	K	P	P	K

ATHABASCA
ATTERSEE
BAIKAL
COMO
CONSTANCE
ERIE
EYRE
GARDA
GENEVA
HURON
INARI
LADOGA
MAGGIORE
MALAWI
MWERU
NASSER
ONTARIO
PLACID
TAHOE
THUN
VATTERN
ZURICH

81 Landlocked Countries

M A C A A S A A V P V Y K
M U M B O D A I T F P R C
D W T A B A I E R G A A O
E B L R L W B V E T N G G
T M B M Y I M Y Z A S N Z
E O O E T E A Y W J C U W
M L V N L U Z S O I H H A
G D M I G A T Y W K A W T
T O L A M O R A E I D A A
Y V R B B B L U V S N G W
T A F G H A N I S T A N Q
P B P J M U L L A A G E L
E E L E S O T H O N U P C
U D N N B J E A C R T A Z
H X U I R E G I N J G L J

AFGHANISTAN
ARMENIA
AUSTRIA
BELARUS
BHUTAN
BOLIVIA
BOTSWANA
CHAD
HUNGARY
LAOS
LESOTHO
MALAWI
MALI
MOLDOVA
MONGOLIA
NEPAL
NIGER
PARAGUAY
TAJIKISTAN
TIBET
UGANDA
ZAMBIA

Ships

R	E	W	O	L	F	Y	A	M	C	D	U	K
I	V	B	R	X	F	L	C	I	L	D	E	N
Y	F	I	I	R	B	L	N	B	N	S	O	L
R	T	S	A	J	Y	A	X	I	O	R	T	G
A	C	M	N	R	T	O	H	R	M	F	A	K
M	I	A	A	I	K	N	Y	A	P	R	R	C
N	O	R	T	H	E	R	N	S	T	A	R	A
E	F	C	A	D	A	D	O	P	S	N	E	N
E	Y	K	L	M	I	M	M	Y	R	C	S	B
U	U	O	L	E	A	L	T	I	A	E	T	E
Q	G	A	I	N	A	T	I	S	U	L	N	R
H	E	R	E	B	U	S	N	E	P	G	O	R
O	Q	A	R	C	A	D	I	A	P	A	M	A
O	A	U	S	T	R	A	L	I	S	E	W	W
D	E	Y	M	F	B	I	P	J	C	B	N	J

ARCADIA
ARK ROYAL
AUSTRALIS
BEAGLE
BISMARCK
CANBERRA
CUTTY SARK
EREBUS
FRAM
FRANCE
GOLDEN HIND
HOOD
LUSITANIA
MARY ROSE
MAYFLOWER
MONTSERRAT
NORMANDIE
NORTHERN STAR
ORIANA
QUEEN MARY
SANTA MARIA
TITANIC

83

Ins and...

W	S	F	E	P	A	Y	J	Z	K	Y	G	X
L	W	V	D	U	P	B	V	U	B	J	P	R
Q	G	O	I	N	G	O	T	V	R	U	Z	Q
X	D	U	B	F	Z	U	H	S	T	Y	E	E
A	E	R	L	H	P	N	Y	T	T	L	T	W
K	T	C	E	R	I	D	I	I	B	I	I	E
G	N	O	I	T	A	N	R	A	C	B	N	U
L	E	M	P	B	G	U	B	T	M	R	I	F
S	D	E	F	E	C	I	C	D	B	F	F	N
N	N	U	M	E	R	A	T	E	N	L	H	I
P	E	W	S	C	X	A	P	G	D	A	N	G
Z	P	V	S	E	L	W	T	A	D	M	L	C
N	E	E	X	J	S	C	R	I	B	E	D	G
M	D	Y	W	O	O	K	R	D	V	L	G	P
U	F	B	G	N	K	T	C	A	Y	E	E	H

BOUND
CAPABLE
CARNATION
CITE
COME
DENTED
DEPENDENT
DESCRIBABLE
DIRECT
EDIBLE
EXACT
FINITE
FIRM
FLAME
GOING
JURY
LAND
NUMERATE
OPERATIVE
PUTTING
SCRIBED
SECURITY

...Outs

P	N	H	G	E	A	A	A	H	T	V	K	F
V	E	C	N	A	T	S	I	D	R	A	W	D
K	W	T	I	U	L	V	X	O	N	Z	B	R
W	Z	E	D	C	M	P	Y	O	C	A	U	B
E	I	R	N	Q	B	B	F	R	O	U	I	L
I	T	T	A	I	V	D	E	S	S	A	L	C
G	Y	S	T	N	S	O	U	R	C	E	D	P
H	O	U	S	E	K	N	A	B	I	G	I	I
R	K	A	L	R	D	I	O	G	G	N	N	B
H	A	L	K	F	L	A	N	K	I	N	G	A
A	B	G	D	K	R	I	G	G	E	R	B	J
N	U	P	E	D	D	O	N	S	Q	H	U	B
J	J	G	Z	D	Y	B	N	E	C	J	K	U
J	A	M	I	K	A	Z	E	T	S	D	T	G
R	F	B	S	N	I	F	E	N	V	I	E	K

BIDDING
BOARD
BUILDING
CLASSED
DISTANCE
DOORS
FLANKING
FRONT
HOUSE
LINES
NUMBERING
RAGED
RANKING
RIGGER
SELL
SIZED
SOURCED
STANDING
STRETCH
WARD
WEIGH
WITTED

85

Crime Wave

U	R	L	C	M	N	P	Y	D	F	P	V	U
H	B	Z	P	V	S	H	R	M	L	V	B	C
R	J	H	R	H	C	I	A	W	R	E	N	O
O	K	W	E	V	I	O	L	A	T	I	O	N
B	F	A	D	M	C	A	G	A	Z	E	N	V
B	X	R	R	O	N	D	R	M	D	C	O	I
E	I	C	U	I	T	T	U	C	P	N	S	C
R	K	R	M	I	E	G	B	A	V	E	A	T
Y	T	I	V	P	G	J	K	S	R	F	E	V
G	R	M	R	I	D	R	L	P	P	F	R	A
C	Z	E	N	Z	C	F	W	O	E	O	T	T
M	P	G	G	H	C	E	Q	L	I	T	F	F
S	G	A	Q	R	M	Z	O	I	A	J	X	E
W	G	A	R	S	O	N	K	C	A	J	I	H
N	C	K	G	K	Y	F	K	E	S	O	V	T

ARSON
ATTACK
BURGLARY
CONVICT
COURT
CRIMINAL
FELONY
FORGERY
FRAUD
HIJACK
MUGGING
MURDER
OFFENCE
PERPETRATE
POLICE
ROBBERY
THEFT
TREASON
VANDALISM
VICE
VIOLATION
WAR CRIME

Wines

V	P	A	D	Y	Q	T	I	K	Q	G	F	R
G	S	N	Z	C	S	O	S	Y	A	K	O	T
N	I	I	R	B	H	L	B	D	Y	S	Y	E
A	D	S	L	F	I	R	K	B	E	C	R	R
I	T	T	W	B	R	E	N	E	H	T	I	A
N	J	E	C	H	A	M	P	A	G	N	E	L
R	P	R	W	A	Z	H	R	U	M	B	S	C
O	P	G	O	G	Q	D	C	J	O	U	L	A
F	X	P	I	N	O	T	N	O	I	R	I	B
I	S	Q	E	N	D	M	P	L	S	G	N	E
L	Z	H	N	C	U	C	U	A	E	U	G	R
A	R	A	O	S	A	U	V	I	G	N	O	N
C	Y	D	C	C	X	S	C	S	U	D	S	E
V	E	A	Y	L	K	B	L	Q	O	Y	H	T
M	T	K	C	R	I	O	J	A	R	X	Z	H

ALSACE
BEAUJOLAIS
BURGUNDY
CABERNET
CALIFORNIAN
CHABLIS
CHAMPAGNE
CHARDONNAY
CLARET
HOCK
MEDOC
MERLOT
MUSCAT
PINOT NOIR
RETSINA
RIESLING
RIOJA
ROSE
ROUGE
SAUVIGNON
SHIRAZ
TOKAY

87

English Castles

Y	Y	C	G	H	G	R	U	B	M	A	B	V
E	W	J	O	V	Y	E	L	D	U	D	M	C
K	B	A	C	R	E	T	S	A	C	N	A	L
K	E	B	R	H	F	S	Z	W	H	R	I	E
W	L	N	S	W	A	E	U	Y	L	Q	D	E
I	V	Z	I	R	I	H	B	I	Y	N	O	D
N	O	D	N	L	Y	C	S	N	O	D	B	S
D	I	P	N	T	W	L	K	M	G	J	G	D
S	R	N	E	X	E	O	H	N	J	N	O	O
O	Q	A	D	D	S	C	R	I	I	L	D	V
R	S	V	N	U	I	I	R	T	C	D	R	E
V	F	U	E	R	E	T	S	E	H	C	O	R
C	R	O	P	H	A	A	R	M	V	H	W	X
A	H	B	U	A	H	B	S	F	U	E	X	W
M	D	S	M	M	Q	C	M	V	G	A	H	P

ARUNDEL
BAMBURGH
BARNARD
BELVOIR
BODIAM
BURGH
CARLISLE
COLCHESTER
CORFE
DOVER
DUDLEY
DURHAM
HASTINGS
HEVER
KENILWORTH
LANCASTER
LEEDS
PENDENNIS
RICHMOND
ROCHESTER
WARWICK
WINDSOR

Atlantic Islands

R Y O F G H T T Z R N H R
O M K E X D Q F F Y I Y V
C E B R T N U L A E R D C
K O G R Y A Z O R E S Z F
A C R O N L O R O I T K R
L T E V B E O E E Y H G D
L E E D O R Y S S Z E O N
Y N N N R I L A P A L M A
A E L N M E W F M I E E L
D R A B L A V S C N N R T
U I N O I S N E C S A A E
M F D N R L L I P X X J H
R E F J F A L K L A N D S
E C A F N S Z G I O C I P
B M A D E I R A K K I P I

ASCENSION
AZORES
BERMUDA
CAPE VERDE
CORVO
FALKLANDS
FAROES
FERRO
FLORES
GOMERA
GREENLAND
HIERRO
ICELAND
IRELAND
JAN MAYEN
LA PALMA
MADEIRA
PICO
ROCKALL
SHETLAND
ST HELENA
TENERIFE

Day Words

X	B	W	F	X	U	Z	I	F	H	C	H	P
T	F	I	H	S	C	H	O	O	L	Y	C	H
N	O	O	H	B	C	D	O	C	O	I	U	G
K	P	I	N	U	C	H	J	U	Q	I	A	C
K	E	T	R	E	R	U	O	B	A	L	V	W
E	J	E	T	P	W	N	Y	L	I	L	B	M
N	X	C	W	R	Z	Y	W	G	A	W	F	S
R	U	A	K	E	S	A	E	L	E	R	S	R
R	D	R	Z	M	H	R	S	A	Z	J	R	A
S	O	E	S	A	M	T	S	I	R	H	C	D
W	G	P	O	E	Z	O	F	R	E	S	T	J
I	J	P	M	R	R	Z	O	O	T	D	O	D
B	L	I	N	D	A	Y	G	R	U	R	D	L
S	T	R	X	S	D	N	X	B	R	E	A	K
X	D	T	H	G	I	L	J	T	N	Y	Y	X

BLIND
BREAK
CARE
CHRISTMAS
DREAMER
LABOURER
LIGHT
LILY
NEW YEAR'S
NURSERY
OF REST
OF THE WEEK
RELEASE
RETURN
ROOM
SCHOLAR
SCHOOL
SHIFT
TIME
TODAY
TRIPPER
WORK

Theatre

P	I	V	T	O	S	Y	F	S	P	T	T	C
N	U	U	I	V	R	T	B	L	Y	P	X	H
K	S	E	C	O	R	G	A	N	I	S	T	O
M	H	S	K	D	Z	Y	A	R	L	O	U	R
M	I	R	E	A	E	P	C	N	L	X	Z	E
H	G	E	T	R	M	S	D	C	U	E	L	O
P	M	A	S	O	T	E	K	M	S	L	T	G
R	O	B	C	U	E	C	T	B	I	M	L	R
Z	W	N	I	P	A	P	A	V	O	E	I	A
W	R	D	T	B	M	L	E	P	N	Y	G	P
B	I	X	I	O	J	D	P	R	F	W	H	H
J	T	H	R	N	U	P	U	P	P	E	T	Y
Q	E	P	C	A	D	R	A	M	A	T	I	C
X	R	E	V	I	E	W	S	P	K	Q	N	U
S	F	F	O	Y	E	R	M	Y	T	H	G	M

ACTRESS
APPLAUSE
BACKCLOTH
CHOREOGRAPHY
COMPANY
CRITIC
DRAMATIC
FOYER
ILLUSION
LIGHTING
MAKE-UP
ON TOUR
ORGANIST
PLAYERS
PROMPT
PUPPET
REVIEW
SCRIPT
STARLET
TICKETS
VAUDEVILLE
WRITER

91

Fish

M	T	U	B	I	L	A	H	A	T	C	H	B
Q	U	A	B	T	N	H	N	P	O	B	J	F
A	R	C	R	B	Z	A	V	C	S	T	A	F
K	B	N	E	P	N	A	E	T	H	N	F	F
I	O	O	A	K	O	D	I	O	J	O	E	G
A	T	M	M	I	E	N	C	L	Q	E	V	E
W	D	L	U	L	G	Y	P	P	U	G	P	Y
H	C	A	O	R	M	A	C	K	E	R	E	L
W	V	S	A	I	L	F	I	S	H	U	R	H
Y	M	Y	N	E	M	M	T	E	A	T	C	R
X	V	N	W	C	H	A	R	R	D	S	H	I
K	O	I	M	H	I	R	O	L	D	D	W	T
W	F	R	A	K	I	L	U	G	O	M	E	S
E	I	W	G	N	Z	I	T	L	C	K	J	Y
G	Z	Q	G	E	S	N	R	L	K	H	V	G

ALEWIFE
ANCHOVY
BREAM
CHARR
GUPPY
HADDOCK
HALIBUT
HERRING
KOI
MACKEREL
MARLIN
MINNOW
PERCH
ROACH
SAILFISH
SALMON
SOLE
STINGRAY
STURGEON
TARPON
TROUT
TURBOT

African Countries

Y	M	A	L	I	Y	Y	T	R	O	A	F	J
A	H	M	I	L	V	T	U	G	H	L	Y	Z
T	Z	X	B	R	F	K	N	D	H	A	A	C
E	T	P	Y	G	E	O	I	O	O	M	R	Q
A	U	G	A	N	C	G	S	K	B	L	U	C
D	N	Q	Y	E	O	A	I	I	O	G	H	M
Q	V	A	I	B	I	M	A	N	A	D	U	S
F	Y	I	N	B	B	B	B	N	V	P	T	V
F	Y	P	P	O	M	I	D	U	O	A	O	L
H	S	O	U	T	H	A	F	R	I	C	A	Y
V	Y	I	M	S	L	T	Z	R	C	G	Z	C
D	A	H	C	W	E	O	E	O	E	Y	B	O
F	T	T	T	A	L	G	R	N	M	V	K	B
Y	A	E	L	N	L	O	E	K	R	I	Z	J
I	W	A	L	A	M	S	W	S	H	C	Q	G

ALGERIA
BOTSWANA
CHAD
CONGO
EGYPT
ETHIOPIA
GAMBIA
KENYA
LIBYA
MALAWI
MALI
MOROCCO
MOZAMBIQUE
NAMIBIA
NIGERIA
SENEGAL
SOUTH AFRICA
SUDAN
TOGO
TUNISIA
UGANDA
ZAMBIA

93

Birds

O	J	J	N	A	W	S	I	S	K	C	P	E
S	Y	Y	N	I	J	Z	S	R	O	P	P	H
E	T	S	E	N	L	E	C	R	E	I	T	Z
K	H	X	T	R	E	R	M	Y	N	G	P	U
I	E	B	O	E	P	O	E	S	B	E	C	O
R	R	S	L	O	R	S	H	M	S	O	G	K
H	O	O	T	A	K	C	O	C	Y	N	O	L
S	N	S	N	R	N	C	A	T	I	D	D	B
F	Y	T	A	I	E	R	U	T	L	U	V	L
F	I	R	S	X	D	L	N	C	C	G	L	W
U	P	I	A	J	A	U	G	U	B	H	C	O
U	D	C	E	N	B	Z	R	A	J	K	E	N
D	O	H	H	S	A	L	W	M	E	V	D	R
X	X	I	P	N	E	C	B	W	L	Z	J	A
K	B	T	G	W	K	Z	W	T	U	J	D	B

BARN OWL
BOOBY
BUNTING
CANARY
COCKATOO
CORMORANT
CUCKOO
CURLEW
EAGLE
HERON
KESTREL
MERLIN
OSPREY
OSTRICH
OYSTER-CATCHER
PHEASANT
PIGEON
SHRIKE
SNIPE
SWAN
TIERCEL
VULTURE

Flowers

K	N	I	P	S	I	L	O	I	D	A	L	G
S	N	O	W	D	R	O	P	L	A	C	E	A
R	A	O	N	S	U	N	F	L	O	W	E	R
E	R	L	R	F	O	X	G	L	O	V	E	D
Z	C	A	N	D	Y	T	U	F	T	J	R	E
Y	I	I	M	T	N	M	U	L	V	G	W	N
C	S	N	P	D	B	E	U	L	Y	I	H	I
Y	S	U	A	I	G	P	D	P	I	Z	O	A
C	U	T	N	A	I	L	S	O	K	P	L	Q
L	S	E	S	N	A	O	A	A	D	G	L	R
A	M	P	Y	T	P	V	Z	L	U	O	Y	F
M	U	M	E	H	T	N	A	S	Y	R	H	C
E	D	Z	I	U	T	E	L	O	I	V	O	R
N	M	L	L	S	R	H	E	M	T	P	C	M
U	A	C	I	N	O	P	A	J	R	F	K	I

AZALEA
CANDYTUFT
CHRYSANTHEMUM
COLUMBINE
CYCLAMEN
DIANTHUS
FOXGLOVE
GARDENIA
GLADIOLI
GYPSOPHILA
HOLLYHOCK

JAPONICA
LUPIN
NARCISSUS
PANSY
PETUNIA
PINK
RHODODENDRON
SNOWDROP
SUNFLOWER
TULIP
VIOLET

95

Earth Words

Z	Z	I	N	V	A	Z	M	R	Q	A	I	L
C	S	H	A	M	I	N	G	I	S	K	R	V
Y	T	V	V	P	D	G	N	I	L	J	M	Y
D	P	A	E	C	N	E	I	C	S	V	A	H
E	K	K	J	I	U	R	R	S	T	T	Z	L
Z	M	X	K	M	O	V	E	R	D	A	U	B
C	M	A	A	S	B	D	T	K	A	V	I	N
E	H	W	A	R	D	S	T	H	A	U	K	S
S	L	Z	E	O	L	L	A	M	G	H	P	G
G	G	D	G	M	O	T	H	E	R	I	S	O
B	Z	V	M	E	K	W	S	B	K	S	L	Y
C	M	B	O	R	N	C	V	E	C	A	J	C
Z	N	Y	O	T	O	I	O	H	Z	Q	U	O
M	Y	W	V	X	F	W	H	L	Y	W	D	Q
G	X	H	J	W	F	Z	B	S	Q	L	I	Y

BORN
BOUND
BRED
GODDESS
LIGHT
LING
MOTHER
MOVER
NUTS
QUAKE
SCIENCE
SHAKER
SHAKING
SHATTERING
SHINE
SIGN
SPIKE
TREMOR
UP
WARDS
WORK
WORM

On the Road

R	I	G	Y	D	O	C	I	V	M	B	Y	V
N	E	H	V	J	S	G	N	I	K	R	A	M
N	O	I	T	C	E	R	I	D	M	N	B	Y
I	S	I	R	B	B	A	L	V	S	Y	Y	I
C	E	N	T	R	E	L	I	N	E	V	Y	G
I	R	L	M	C	A	R	S	M	Y	W	N	C
F	V	M	O	J	N	B	T	B	E	I	A	K
F	I	O	O	R	S	U	H	W	S	G	K	Y
A	C	F	W	T	R	A	J	S	T	Y	T	A
R	E	K	H	N	O	I	O	C	A	N	R	W
T	S	G	O	K	B	R	E	K	C	R	U	H
X	I	F	J	C	C	I	W	S	I	B	C	G
L	F	O	N	G	I	S	D	A	O	R	K	I
H	J	J	B	L	A	Y	B	Y	Y	J	S	H
L	Q	G	D	A	O	R	P	I	L	S	V	S

CARS
CAT'S-EYES
CENTRE LINE
CRASH BARRIER
CROSSING
DIRECTION
GIVE WAY
HIGHWAY
JUNCTION
KERB
LAY-BY
LIGHTS
LORRIES
MARKINGS
MOTORWAY
ROADSIGN
SERVICES
SLIPROAD
TRAFFIC
TRUCKS
TURN OFF
VANS

Poets' Corner

X	K	S	T	A	E	K	X	Y	I	L	M	M
P	W	A	Y	I	J	H	V	A	S	O	E	H
U	Z	M	N	T	K	T	K	D	P	L	S	F
W	Q	O	N	A	H	H	Y	L	E	A	R	D
A	O	H	B	C	M	K	U	I	N	O	L	L
B	R	T	H	A	O	T	O	W	S	R	L	V
U	N	R	T	S	M	L	I	T	E	O	I	O
N	O	O	O	U	E	M	E	H	R	H	W	T
Y	V	W	W	R	N	V	T	R	W	A	G	N
A	A	S	E	Z	E	E	A	B	I	R	S	O
N	N	D	S	N	O	C	W	R	R	D	L	M
H	P	R	S	G	J	M	U	M	G	Y	G	R
A	P	O	U	N	D	S	D	A	A	G	S	E
A	N	W	I	G	B	W	F	Q	H	N	Z	L
G	O	E	D	L	I	W	X	U	N	C	U	S

AKHMATOVA
BUNYAN
CARROLL
CHAUCER
COLERIDGE
FROST
GOETHE
GRAVES
HARDY
KEATS
LEAR
LERMONTOV
NASH
NEWMAN
OWEN
POUND
SPENSER
STEVENSON
THOMAS
WHITMAN
WILDE
WORDSWORTH

ABLE Words

E	E	L	B	A	H	S	A	W	D	B	R	U
L	E	Z	I	W	J	M	G	E	V	T	Z	F
B	L	L	H	R	I	Y	N	G	P	E	E	G
A	B	S	B	C	R	I	P	E	H	A	L	O
H	A	A	A	A	A	I	L	L	A	C	B	P
C	E	B	M	B	K	B	T	B	E	H	A	O
A	L	L	L	A	A	N	O	A	S	A	E	T
E	L	E	B	R	I	M	I	K	B	B	C	A
R	A	J	A	A	I	H	G	R	Z	L	A	B
I	M	E	N	N	T	H	V	A	D	E	E	L
I	B	A	A	P	A	S	P	M	B	N	P	E
H	A	B	I	T	A	B	L	E	B	L	W	D
E	L	B	A	U	Q	E	L	R	A	T	E	U
E	L	B	A	I	T	O	G	E	N	D	L	F
O	H	Q	E	L	B	A	I	P	X	E	Z	A

ABOMINABLE
AMICABLE
BEARABLE
CABLE
CLEANABLE
DENIABLE
DRINKABLE
EQUABLE
EXPIABLE
GABLE
HABITABLE
IRRITABLE
MALLEABLE
NEGOTIABLE
PEACEABLE
POTABLE
REACHABLE
REMARKABLE
SABLE
STABLE
TEACHABLE
WASHABLE

99

Time's Up

Y	V	T	T	P	C	I	G	O	Z	R	N	B
T	M	I	L	L	E	N	N	I	U	M	D	Q
X	Z	I	O	H	Q	A	U	O	X	F	E	J
K	S	E	L	K	T	H	H	L	L	B	I	J
E	O	T	G	L	C	S	M	S	J	Y	E	N
B	L	W	H	W	I	O	X	B	W	P	S	F
F	D	R	N	G	R	S	L	C	O	F	E	T
P	L	A	J	N	I	S	E	C	O	N	D	D
D	G	D	I	E	R	N	H	C	V	I	A	F
S	G	N	V	V	T	H	D	N	O	Y	C	G
A	G	E	N	E	R	A	T	I	O	N	E	E
N	P	L	N	N	H	T	N	O	M	O	D	C
G	P	A	M	I	N	U	T	E	L	E	N	K
S	R	C	E	N	T	U	R	Y	E	A	R	Z
Y	H	U	M	G	H	C	T	A	W	Q	W	Q

AEON
AGE
CALENDAR
CENTENARY
CENTURY
CLOCK
DAY
DECADE
EPOCH
EVENING
GENERATION
HOUR
MIDNIGHT
MILLENNIUM
MILLISECOND
MINUTE
MONTH
MORNING
NOON
SECOND
WATCH
YEAR

Astrology

K	N	O	B	D	A	F	K	I	A	W	H	A
M	T	O	Q	V	F	R	U	N	Q	S	K	V
S	A	G	I	T	T	A	R	I	U	S	B	F
G	I	R	L	T	D	O	T	M	A	F	T	W
J	D	M	S	L	C	M	V	E	R	W	L	X
A	I	R	S	I	G	N	K	G	I	F	C	K
S	E	I	R	A	J	O	U	N	U	U	I	D
C	V	P	S	N	B	I	S	J	S	S	B	L
K	A	L	O	V	H	T	F	P	N	E	I	B
C	T	A	L	C	A	I	D	O	Z	O	Q	Q
T	E	N	S	U	S	S	U	Y	N	M	C	N
J	A	E	W	H	B	O	P	L	B	U	B	V
W	A	T	E	R	J	P	R	E	E	L	A	C
L	A	S	C	O	R	P	I	O	L	D	Y	J
T	F	C	Q	C	A	O	S	A	H	F	U	P

AIR SIGN
AQUARIUS
ARIES
BULL
CAPRICORN
CONJUNCTION
CUSP
FATE
FISHES
GEMINI
HOROSCOPE
LEO
LION
MARS
OPPOSITION
PLANETS
RAM
SAGITTARIUS
SCORPIO
TWINS
WATER
ZODIAC

Solutions

1

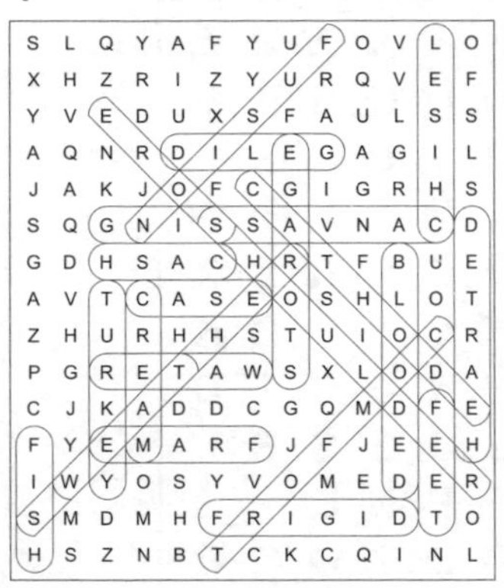

2

3

4

J	W	T	M	U	I	N	A	R	U	L	R	O
M	T	T	M	U	I	L	L	Y	R	E	B	U
L	U	S	A	O	I	H	M	L	P	C	F	Y
A	N	I	G	Z	I	N	C	P	T	X	G	R
U	G	L	N	S	N	N	O	B	R	A	C	U
T	S	V	E	A	O	C	I	T	D	V	I	C
U	T	E	S	C	T	Z	H	M	U	I	H	R
I	E	R	I	E	N	I	R	O	U	L	F	E
S	N	L	U	R	I	Y	T	X	O	L	P	M
L	I	Z	M	U	I	M	O	R	H	C	A	U
S	N	E	G	O	R	T	I	N	I	X	D	I
N	E	G	Y	X	O	N	L	G	H	B	I	D
I	O	D	I	N	E	G	O	R	D	Y	H	O
M	U	N	I	M	U	L	A	N	N	N	Y	S
C	D	V	X	Q	D	X	C	R	Y	J	V	B

Solutions

5

6

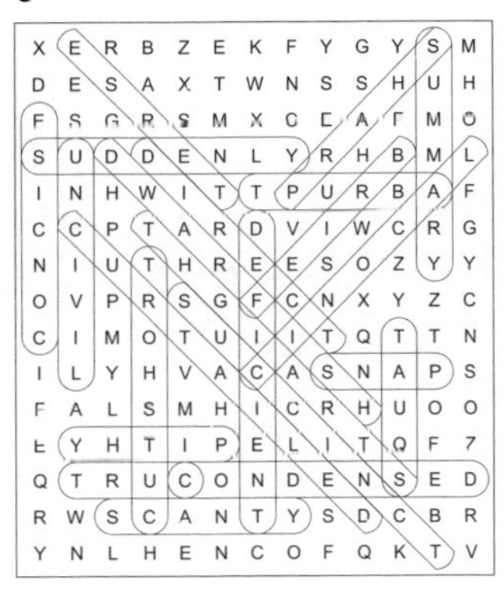

7

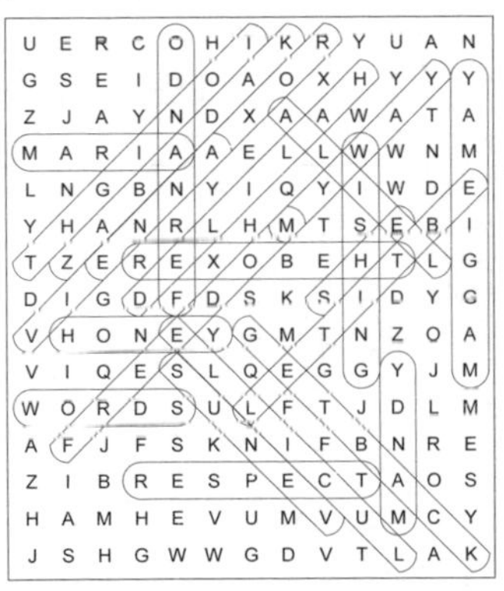

8

I	R	F	U	S	C	H	I	A	Z	L	W	M
K	E	N	I	M	S	A	J	H	N	U	N	Q
S	S	I	R	C	R	E	B	M	A	N	G	O
U	D	U	E	L	I	O	M	L	A	P	Z	E
M	A	G	M	N	I	I	C	F	I	L	C	N
E	D	B	E	E	N	A	O	R	S	I	H	I
T	N	O	S	T	S	D	C	A	E	U	O	R
I	O	L	O	J	T	E	O	N	E	Q	C	A
H	M	I	R	W	Y	I	N	J	R	N	O	T
W	L	L	E	T	L	C	U	I	F	O	L	C
Y	A	Y	B	F	H	A	T	P	H	J	A	E
F	N	E	U	T	P	S	D	A	L	C	T	N
Q	U	O	T	M	L	A	B	N	O	M	E	L
B	L	U	E	B	E	L	L	I	A	T	H	T
G	D	N	U	P	T	E	A	R	O	S	E	T

Solutions

9

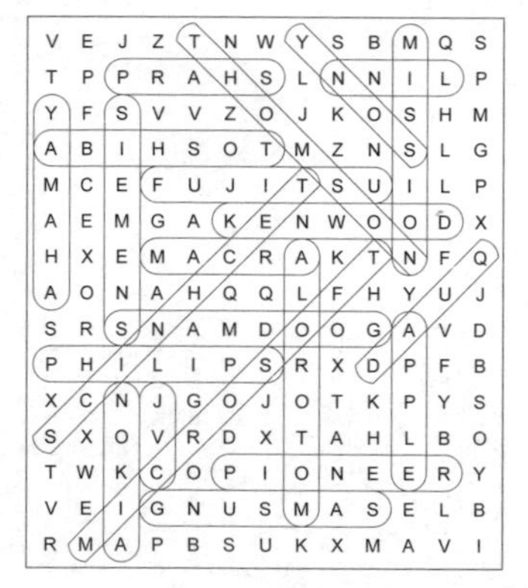

10

11

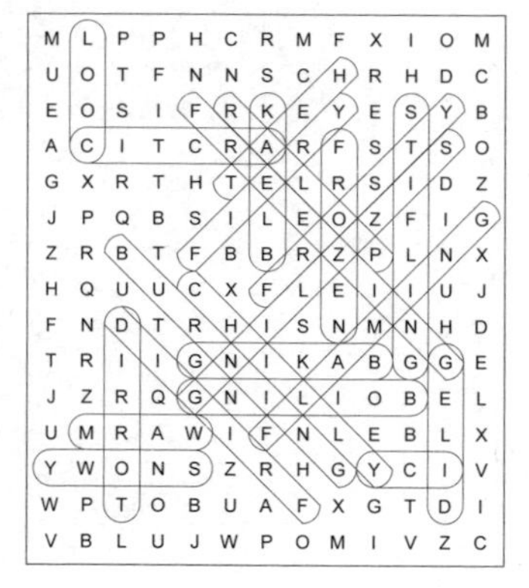

12

Solutions

13

O	O	W	F	A	C	T	K	M	E	Z	E	R
W	F	T	E	L	S	T	A	R	D	U	S	T
N	D	G	B	R	D	G	S	O	Y	U	Z	C
N	O	V	Q	R	E	G	A	Y	O	V	N	B
E	H	E	R	L	O	N	V	E	U	L	X	A
A	K	G	L	Z	R	L	I	V	B	D	A	L
W	O	A	L	I	L	S	K	R	M	Y	E	P
B	N	T	G	P	L	U	I	U	A	I	U	N
R	U	L	T	I	V	A	N	S	R	M	T	N
J	L	T	U	O	K	E	G	A	W	O	A	F
V	P	H	S	N	I	A	N	E	E	J	D	A
N	G	T	L	E	I	G	S	E	L	E	N	E
J	O	G	Q	E	E	K	H	T	R	V	O	G
K	P	Q	J	R	A	I	H	S	O	A	Z	Q
K	S	N	J	P	O	P	P	Q	U	X	R	T

14

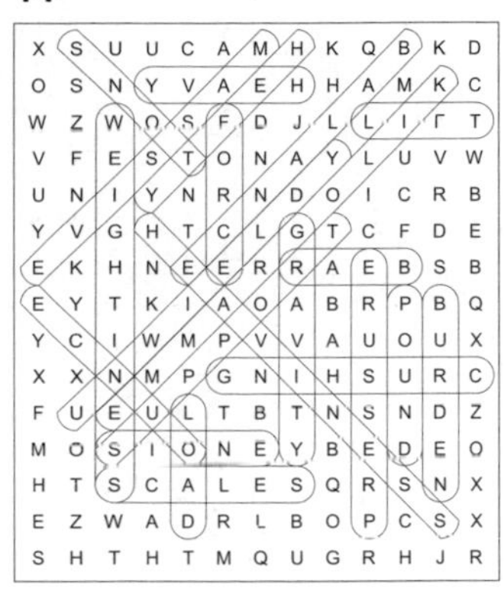

15

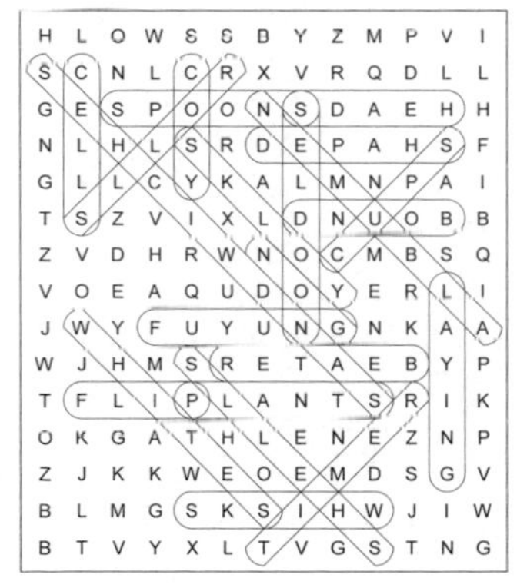

16

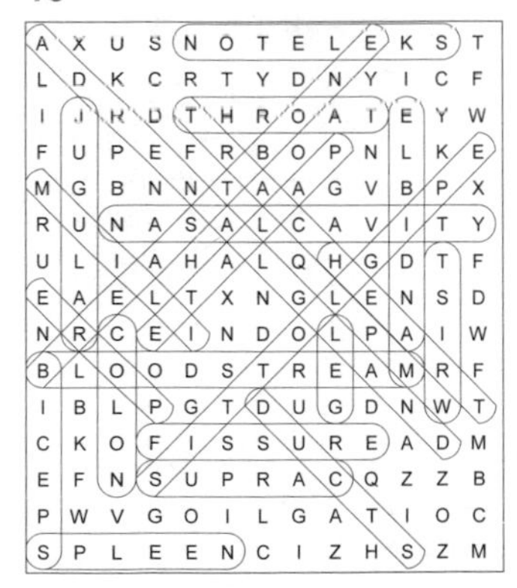

Solutions

17

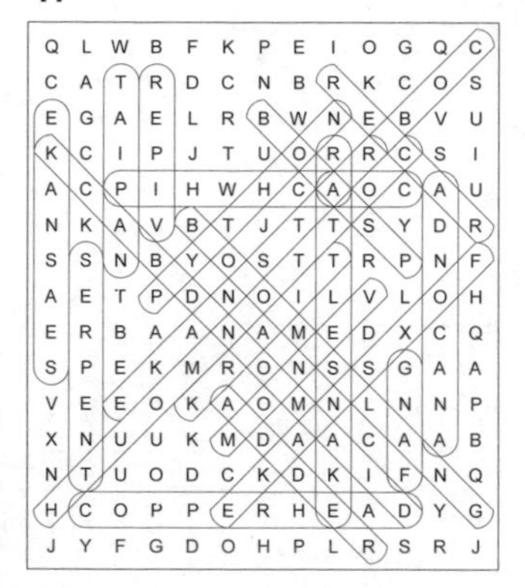

Q	L	W	B	F	K	P	E	I	O	G	Q	C
C	A	T	R	D	C	N	B	R	K	C	O	S
E	G	A	E	L	R	B	W	N	E	B	V	U
K	C	I	P	J	T	U	O	R	R	C	S	I
A	C	P	I	H	W	H	C	A	O	C	A	U
N	K	A	V	B	T	J	T	T	S	Y	D	R
S	S	N	B	Y	O	S	T	T	R	P	N	F
A	E	T	P	D	N	O	I	L	V	L	O	H
E	R	B	A	A	N	A	M	E	D	X	C	Q
S	P	E	K	M	R	O	N	S	S	G	A	A
V	E	E	O	K	A	O	M	N	L	N	N	P
X	N	U	U	K	M	D	A	A	C	A	A	B
N	T	U	O	D	C	K	D	K	I	F	N	Q
H	C	O	P	P	E	R	H	E	A	D	Y	G
J	Y	F	G	D	O	H	P	L	R	S	R	J

18

H	N	E	G	I	T	N	A	D	R	E	U	B
T	B	C	B	H	F	N	I	O	D	R	B	B
L	Z	A	T	O	T	C	I	T	N	A	K	R
L	F	Q	N	H	A	R	Y	A	T	E	O	E
U	K	A	R	T	E	G	D	P	U	R	N	L
N	V	A	N	T	I	D	O	T	E	O	B	T
I	X	A	N	N	A	V	B	H	G	J	V	N
E	S	A	A	S	E	N	I	I	B	G	F	A
A	U	O	N	A	T	T	T	R	W	R	A	P
Q	H	Q	T	T	N	N	N	I	A	L	N	I
F	T	C	I	A	A	T	A	A	L	L	T	M
E	N	I	O	T	K	R	H	T	Q	L	H	D
T	A	D	C	R	N	A	E	I	V	O	E	K
I	M	E	H	T	N	A	J	S	L	T	R	S
V	Z	J	R	O	A	N	T	R	A	L	C	Q

19

R	J	B	H	N	E	A	L	O	I	P	A	T
C	I	K	D	O	L	C	I	G	A	R	T	D
P	E	R	O	I	C	A	D	L	J	A	T	X
O	S	S	A	T	X	E	A	F	E	F	A	O
H	T	E	B	C	A	M	A	T	Z	R	G	H
H	U	A	P	E	B	D	O	N	J	U	A	N
A	Y	N	I	R	C	X	M	U	I	I	S	K
M	P	D	O	R	I	N	P	Q	S	D	N	X
L	A	W	T	U	E	I	M	S	X	U	E	T
E	S	N	Q	S	T	B	E	X	L	P	N	S
T	T	N	F	E	F	M	I	O	F	O	A	H
F	O	Y	R	R	N	Z	U	Q	M	N	T	I
D	R	M	F	M	E	R	Q	G	T	D	I	D
F	A	T	R	E	I	D	E	A	F	D	T	H
V	L	J	V	A	S	P	R	I	N	G	W	A

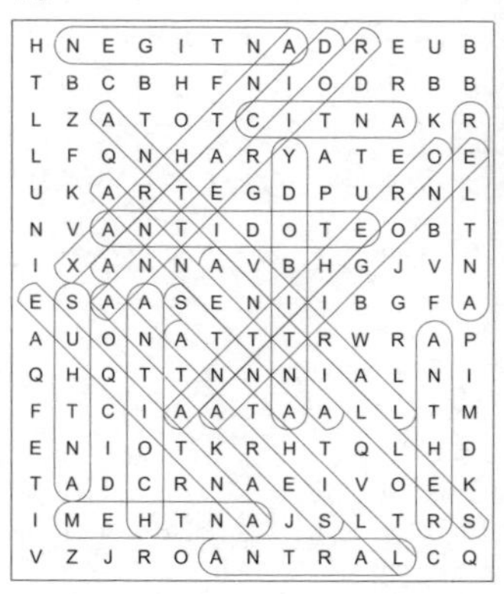

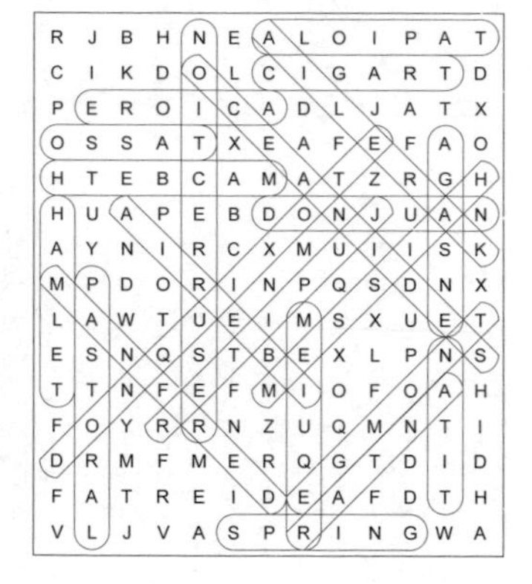

20

P	C	L	E	W	B	D	W	V	T	L	O	T
G	N	I	S	A	E	L	P	B	B	D	L	M
F	N	K	Y	T	S	U	R	T	E	P	L	O
U	Q	I	D	O	K	F	H	V	A	E	X	D
D	V	N	L	L	T	H	I	V	U	L	W	E
I	C	D	M	T	H	T	K	D	T	B	O	S
D	P	L	G	B	R	I	L	L	I	A	N	T
N	C	Y	O	O	I	A	U	P	F	R	D	S
E	F	M	P	T	L	F	T	E	U	I	E	U
L	B	P	O	J	L	C	L	S	L	S	R	O
P	U	L	G	N	I	T	I	C	X	E	F	I
S	U	O	R	E	N	E	G	O	O	D	U	C
T	K	Y	Y	E	G	N	I	R	U	L	L	A
X	O	A	G	G	E	L	B	A	I	L	E	R
A	U	L	M	B	D	S	H	I	N	I	N	G

Solutions

21

22

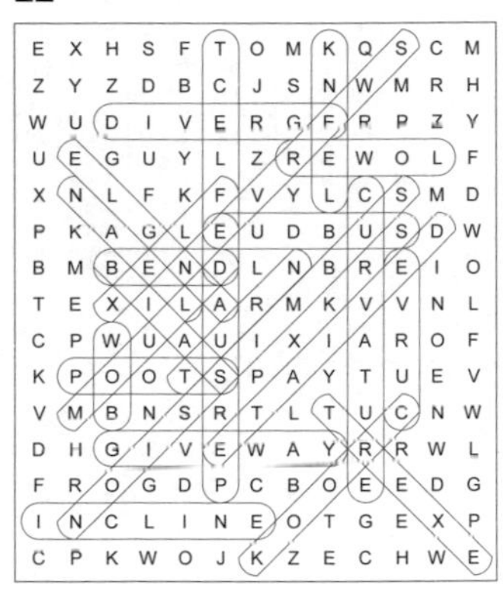

23

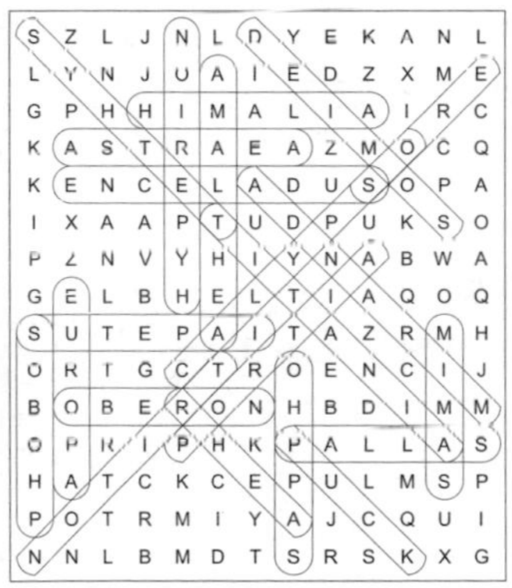

24

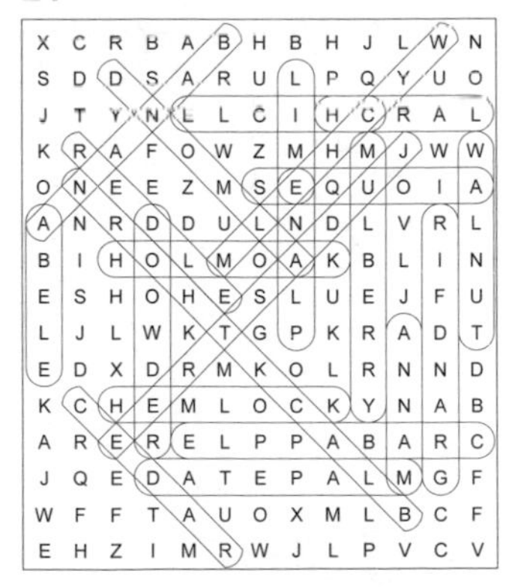

Solutions

25

26

27

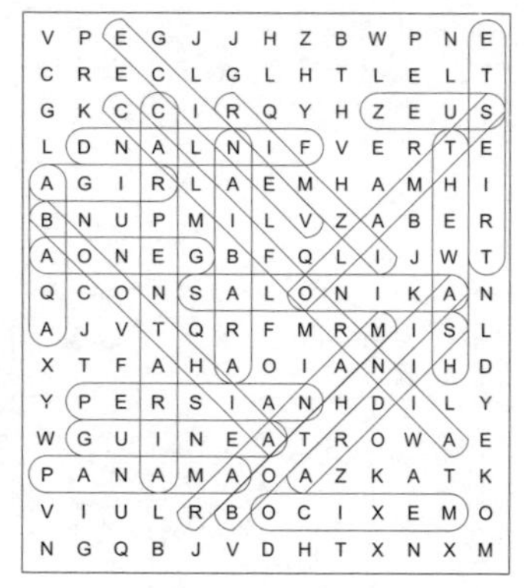

28

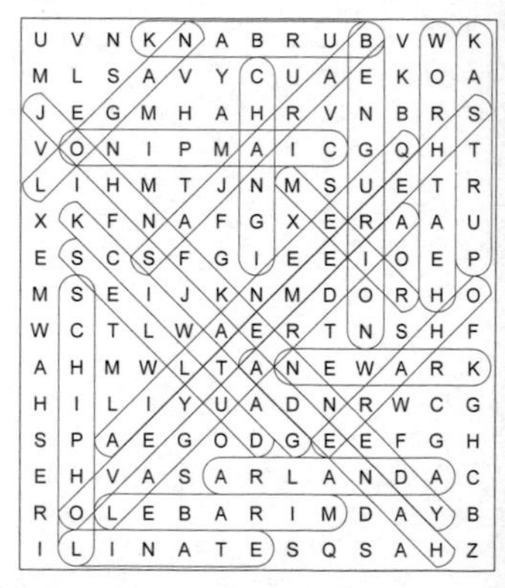

Solutions

29

30

31

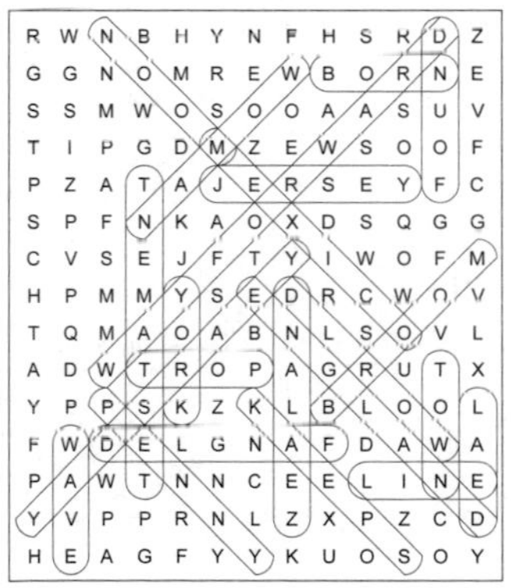

32

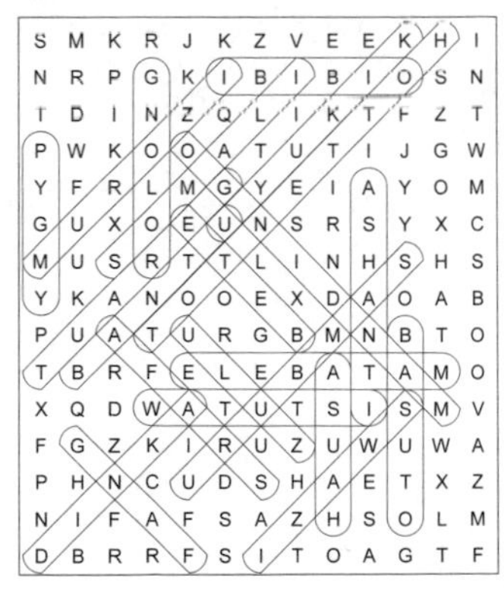

Solutions

33

V	B	A	B	Y	O	R	A	A	H	K	Q	N
G	E	T	A	L	I	P	M	D	A	F	O	E
W	I	C	B	D	Z	F	G	A	J	M	K	M
G	A	H	R	A	J	O	U	K	I	U	F	D
Q	M	R	A	N	L	W	A	S	L	R	H	U
Q	O	I	H	I	E	T	Q	R	E	O	I	Q
R	W	S	A	E	M	R	H	A	B	K	P	M
X	E	T	M	L	Y	E	A	A	E	M	E	G
C	H	E	A	M	L	C	R	B	Z	C	T	F
L	T	Q	E	I	C	E	O	E	E	A	E	V
H	T	X	A	E	C	C	P	D	J	L	R	O
O	A	S	B	V	A	I	P	N	K	G	R	C
R	M	E	E	J	I	U	I	E	P	V	O	Z
D	R	C	G	L	N	C	Z	G	Q	P	T	E
Z	Q	A	I	K	H	A	N	O	J	N	B	A

34

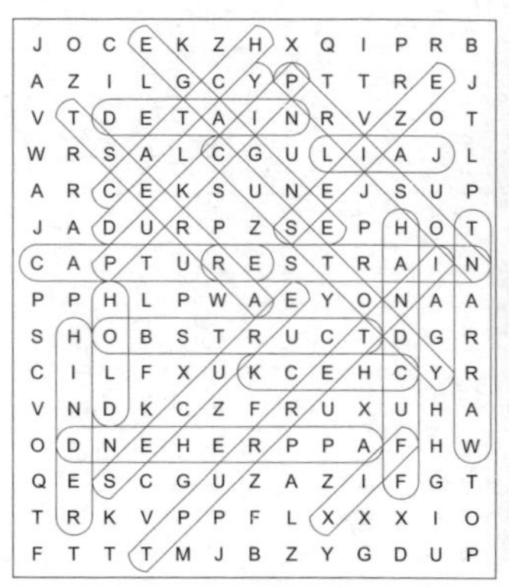

35

36

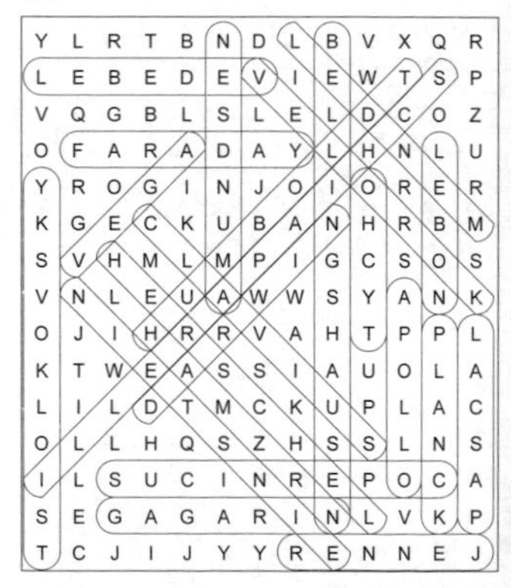

Solutions

37

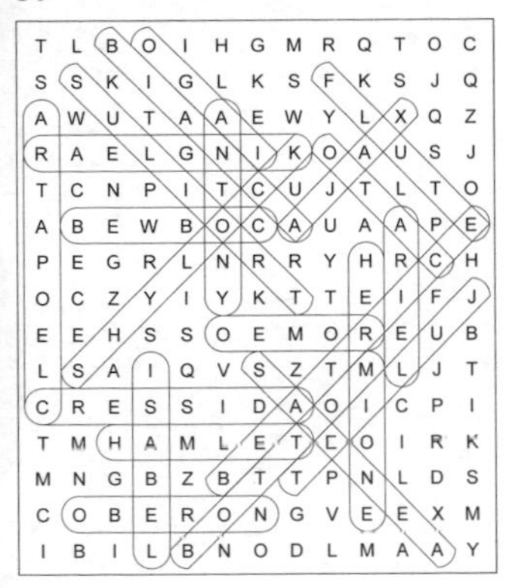

38

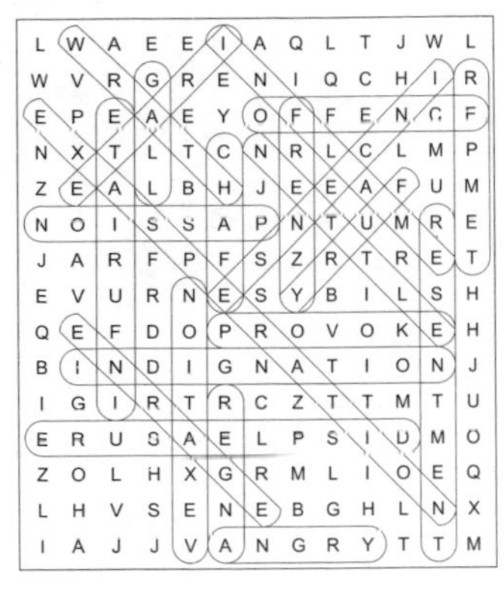

39

40

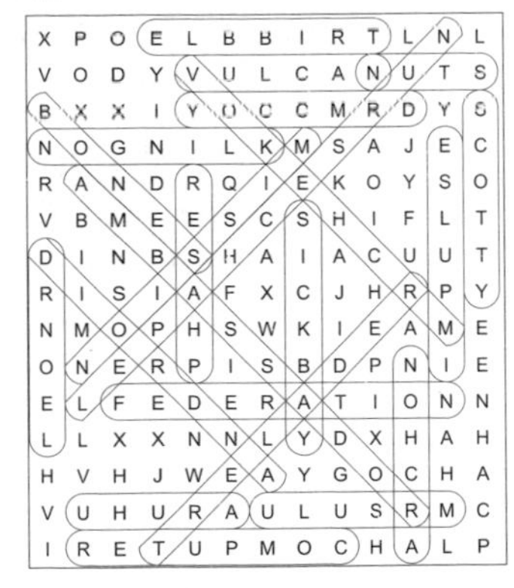

Solutions

41

L	C	U	D	E	T	I	M	I	L	N	U	B
A	N	K	N	V	T	L	D	E	F	N	O	W
E	E	M	E	R	P	U	S	I	R	R	U	G
D	E	Z	U	N	D	C	L	E	M	Q	X	X
I	L	E	V	I	T	I	S	O	P	R	A	S
N	B	L	L	C	I	T	O	P	S	E	D	I
D	A	F	Q	Y	R	A	R	T	I	B	R	A
E	T	A	N	I	M	R	E	T	E	D	A	E
P	I	R	C	K	U	C	E	R	T	A	I	N
E	R	T	F	S	U	O	I	R	E	P	M	I
N	E	H	Z	A	C	T	U	A	L	F	O	U
D	V	E	Q	T	Z	U	R	A	P	J	U	N
E	L	S	V	C	D	A	E	W	M	V	X	E
N	H	T	C	E	F	R	E	P	O	D	N	G
T	W	J	W	O	D	E	D	I	C	E	D	Z

42

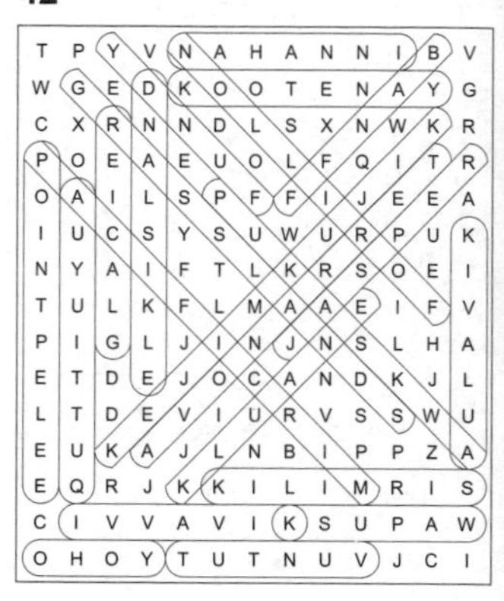

43

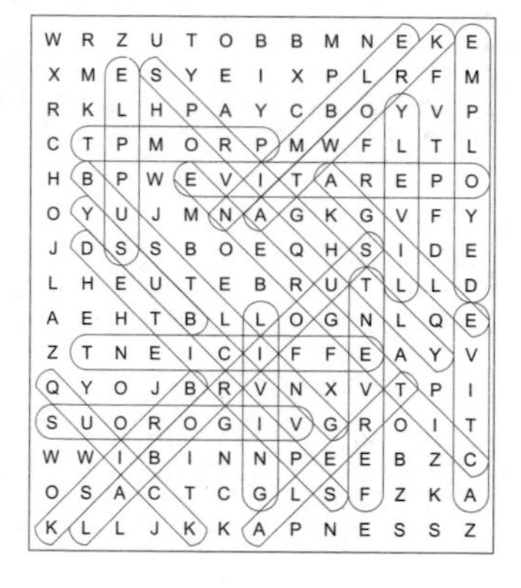

44

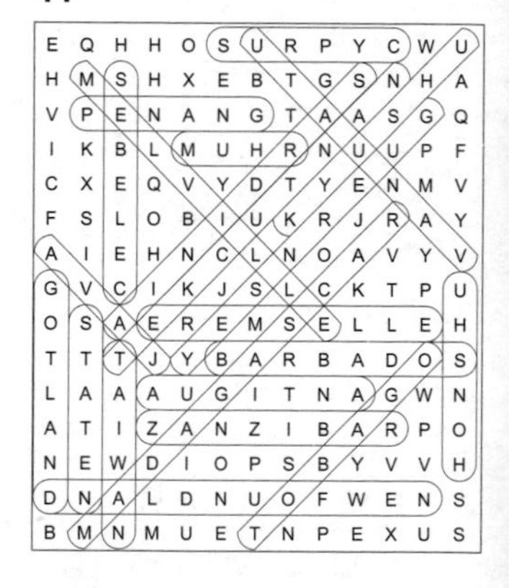

Solutions

45

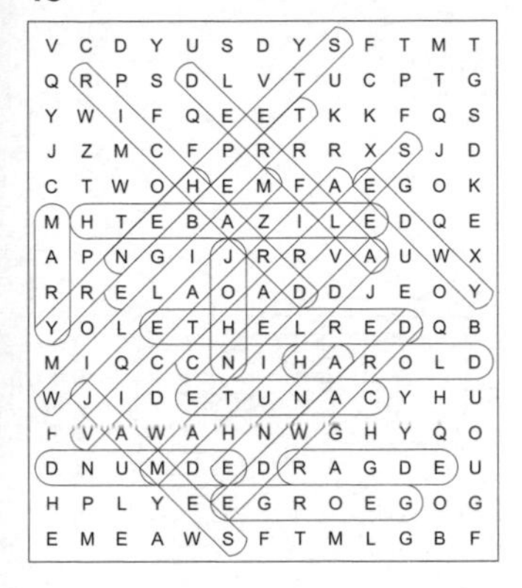

46

47

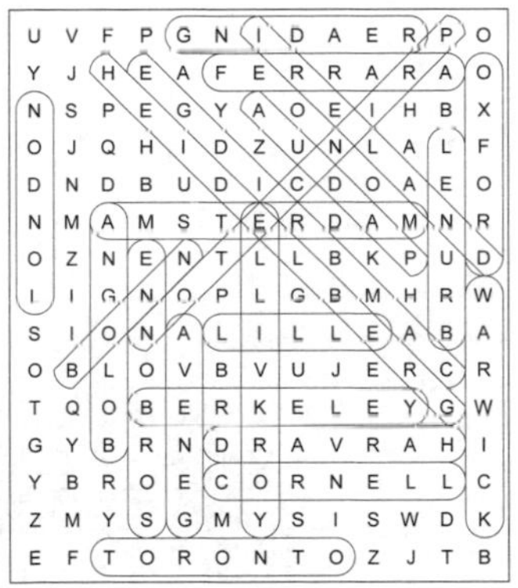

48

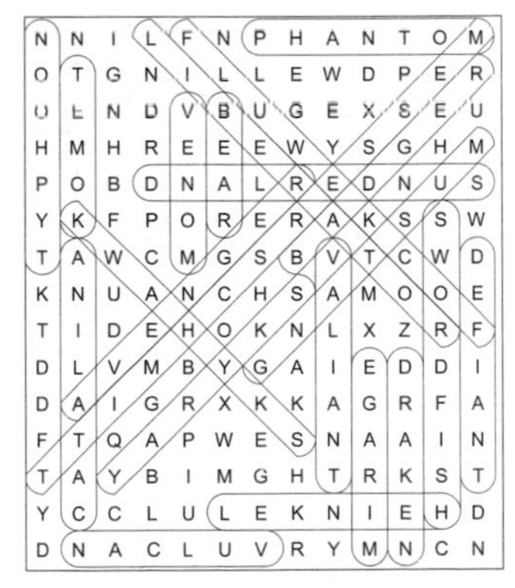

Solutions

49

50

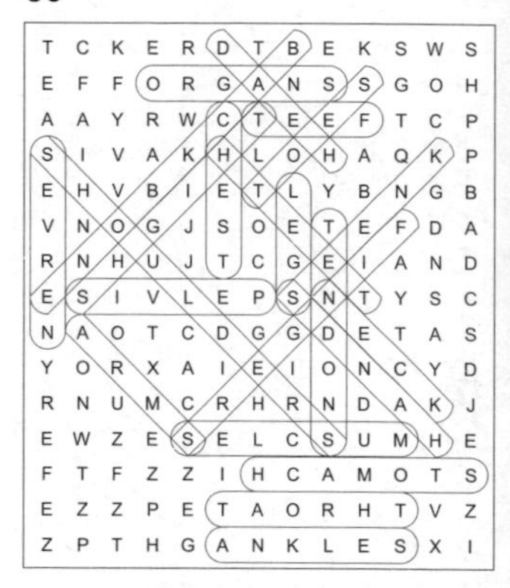

51

52

Solutions

53

J	N	W	N	K	Q	Y	O	R	M	Q	X	D
I	M	C	U	X	F	L	E	E	N	G	Z	Q
X	K	I	E	D	A	L	T	V	C	F	T	R
C	C	Q	N	Z	M	A	T	E	O	V	I	M
W	I	O	L	G	I	D	E	U	N	L	C	E
S	O	V	M	C	L	N	B	G	N	I	O	J
J	B	L	O	P	I	E	R	A	E	I	M	U
E	X	S	L	B	A	C	E	E	C	D	P	N
T	S	C	M	E	R	N	T	L	T	P	A	Q
A	J	O	O	A	F	F	I	L	I	A	T	E
L	C	M	I	M	R	M	N	O	E	R	R	L
E	V	P	V	I	R	L	U	C	N	T	I	F
R	E	A	E	I	X	A	F	W	D	N	O	I
C	O	N	S	O	R	T	D	Q	K	E	T	B
R	D	Y	C	O	U	P	L	E	H	R	Z	G

54

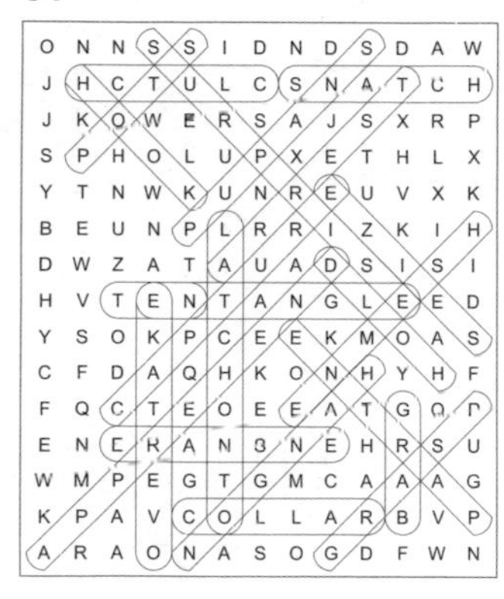

O	N	N	S	S	I	D	N	D	S	D	A	W
J	H	C	T	U	L	C	S	N	A	T	C	H
J	K	O	W	E	R	S	A	J	S	X	R	P
S	P	H	O	L	U	P	X	E	T	H	L	X
Y	T	N	W	K	U	N	R	E	U	V	X	K
B	E	U	N	P	L	R	R	I	Z	K	I	H
D	W	Z	A	T	A	U	A	D	S	I	S	I
H	V	T	E	N	T	A	N	G	L	E	E	D
Y	S	O	K	P	C	E	E	K	M	O	A	S
C	F	D	A	Q	H	K	O	N	H	Y	H	F
F	Q	C	T	E	O	E	E	A	T	G	O	D
E	N	E	R	A	N	G	N	E	H	R	S	U
W	M	P	E	G	T	G	M	C	A	A	A	G
K	P	A	V	C	O	L	L	A	R	B	V	P
A	R	A	O	N	A	S	O	G	D	F	W	N

55

I	T	Z	C	N	A	C	L	U	V	K	L	I
R	S	H	C	K	R	G	D	K	U	B	F	U
T	M	U	S	T	A	N	G	T	W	T	F	C
H	H	N	J	C	V	I	I	E	Y	A	E	D
S	T	U	K	A	E	E	G	M	A	C	H	S
R	R	U	N	C	N	O	B	O	R	M	T	U
M	W	Z	C	D	G	B	U	C	Y	O	E	V
N	H	O	R	N	E	T	S	O	K	T	D	I
O	F	L	S	J	R	R	U	N	S	W	T	X
N	N	E	G	G	I	V	B	C	V	T	L	E
F	I	H	S	I	F	D	R	O	W	S	L	N
R	P	K	A	P	T	I	I	R	L	G	G	F
G	L	X	H	W	I	B	A	D	A	T	Y	T
T	R	V	A	M	P	I	R	E	U	C	O	D
J	Y	B	V	I	S	C	O	U	N	T	V	Y

56

P	F	T	O	S	F	A	V	S	Y	B	T	R
W	A	L	S	H	A	R	C	A	D	I	A	E
M	S	H	A	T	I	N	D	I	A	N	A	I
N	T	L	I	B	R	E	D	N	A	V	H	V
G	C	E	B	J	F	A	C	T	G	P	H	A
V	A	I	M	Q	I	W	Y	L	L	H	G	X
D	R	L	U	K	E	T	T	E	R	I	N	G
R	O	U	L	F	L	A	D	O	R	L	A	J
A	L	N	O	A	D	A	V	E	Q	L	R	B
V	I	F	C	H	U	N	T	I	I	I	O	W
R	N	A	N	N	O	D	A	M	H	P	P	T
A	A	C	A	M	P	B	E	L	L	S	A	Y
H	A	Y	L	S	T	F	U	T	K	U	E	D
S	S	C	M	G	D	R	O	F	D	A	R	Y
V	U	L	T	Z	Z	X	G	T	K	V	O	P

Solutions

57

58

59

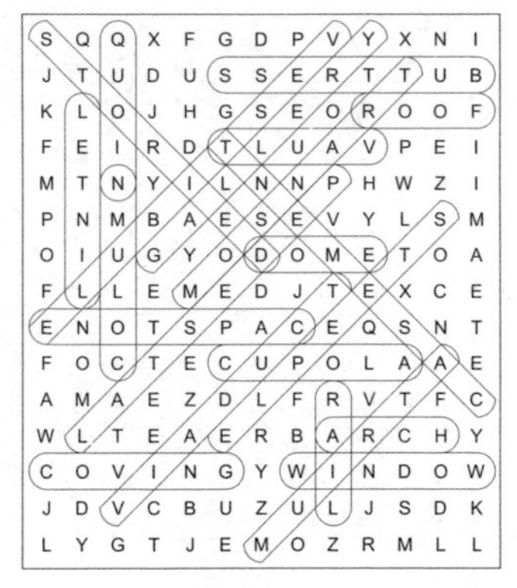

60

Solutions

61

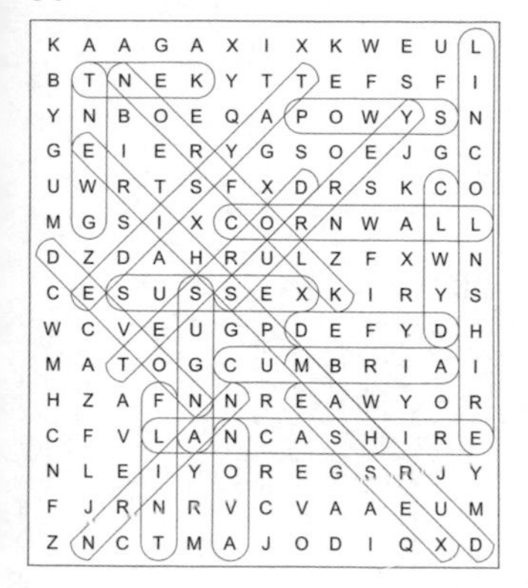

62

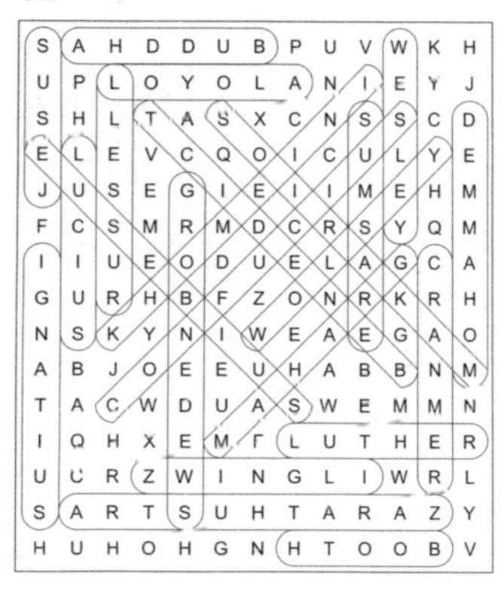

63

64

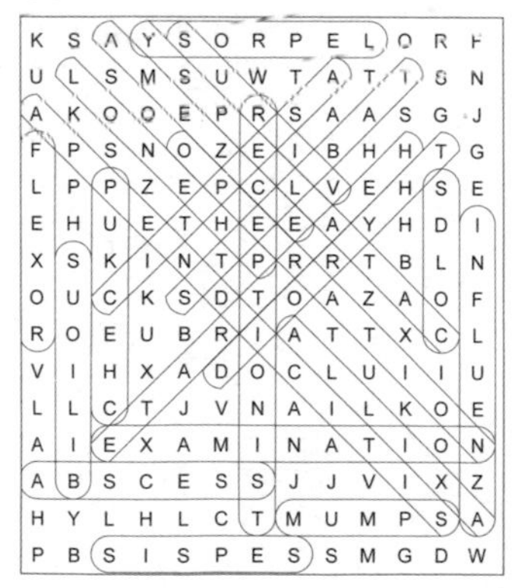

Solutions

65

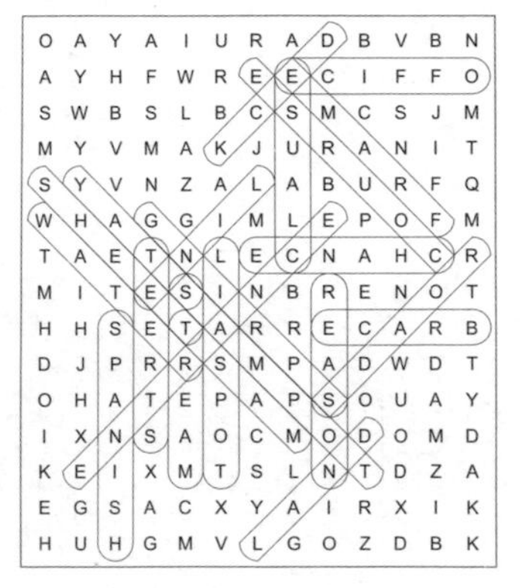

66

67

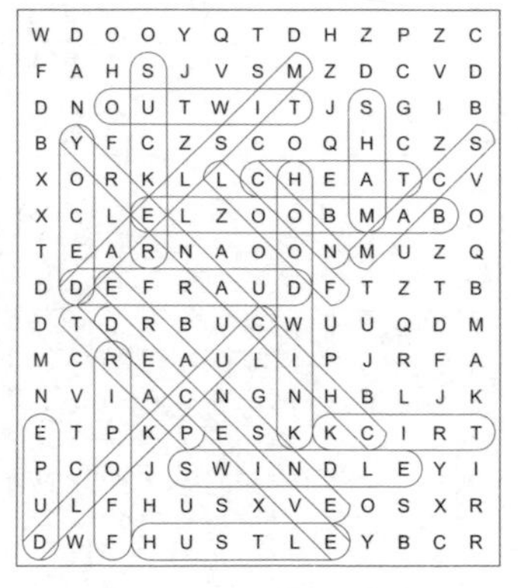

68

Solutions

69

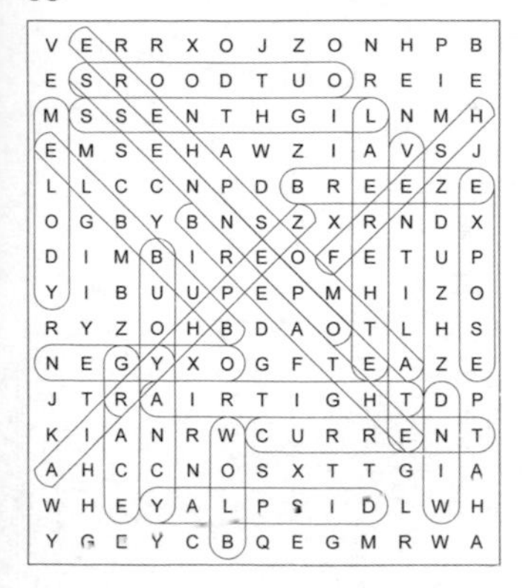

71

70

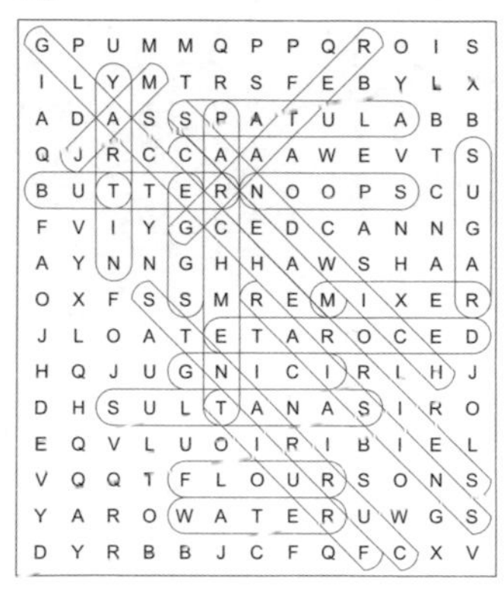

72

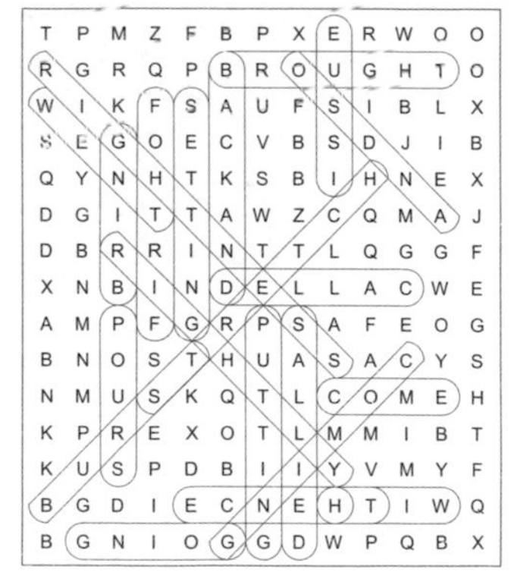

Solutions

73

D	S	A	Y	V	B	Z	G	Z	C	K	V	S
W	I	N	T	E	N	T	I	O	N	J	Y	E
U	A	T	G	T	M	W	Y	B	A	V	O	O
A	M	P	A	I	E	E	T	J	K	L	R	C
Q	V	O	U	G	S	M	H	E	Z	P	A	X
Q	N	I	A	R	T	E	P	C	P	S	D	M
E	T	N	P	O	P	T	D	T	S	U	T	V
S	N	T	L	V	Z	O	J	I	X	Y	F	C
U	S	F	A	H	J	H	S	V	B	G	J	A
J	P	I	N	T	E	N	D	E	N	C	Y	T
Y	E	R	G	O	K	S	J	I	B	V	D	A
Y	L	D	T	H	S	T	R	W	R	I	T	R
G	R	G	D	P	T	A	Z	U	K	E	E	G
T	R	O	F	F	E	B	E	I	O	W	C	E
J	X	P	G	B	M	M	A	R	K	C	A	T

74

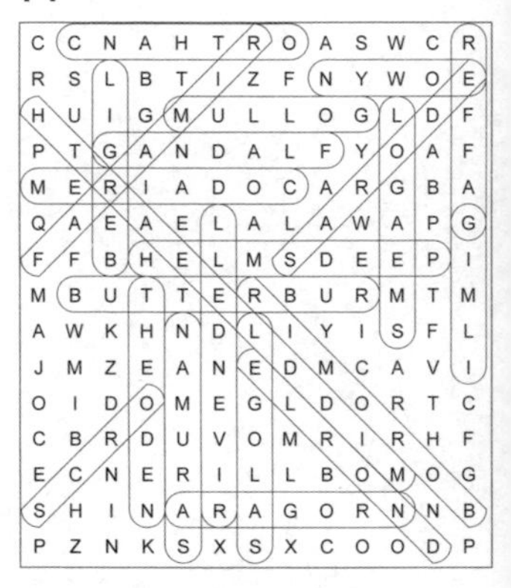

75

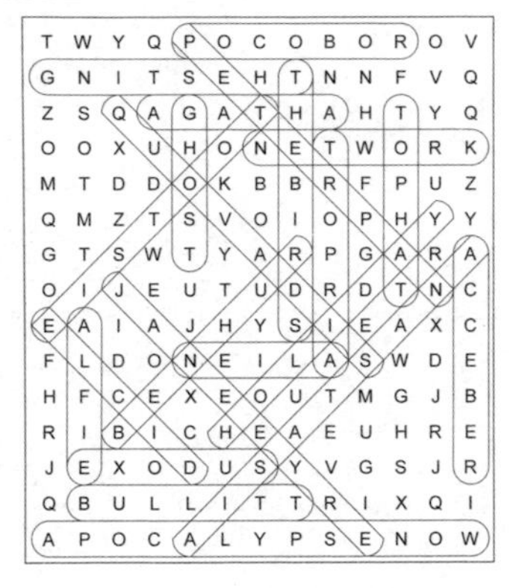

76

Solutions

77

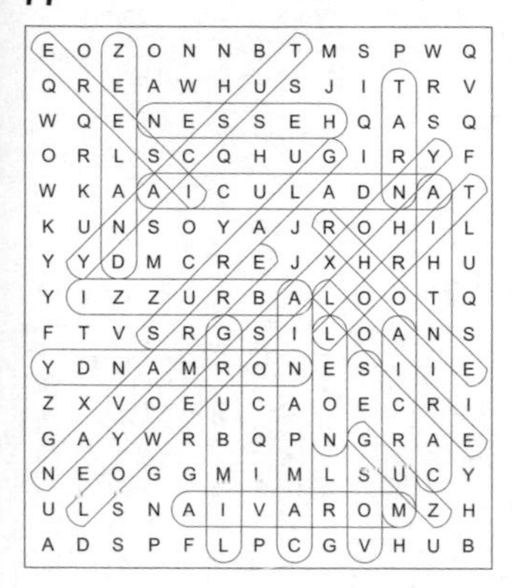

78

79

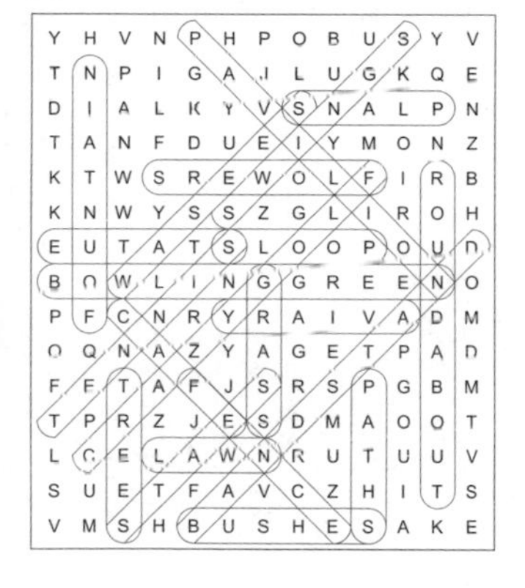

80

Solutions

81

82

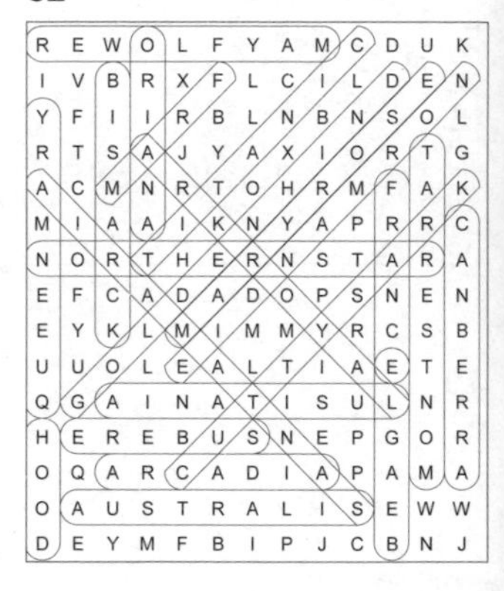

83

84

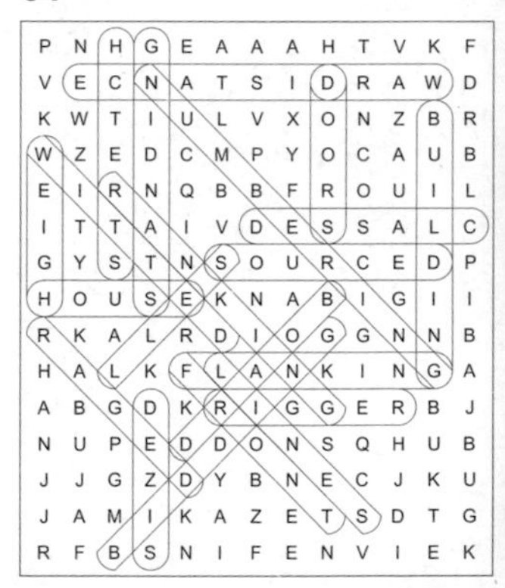

Solutions

85

U	R	L	C	M	N	P	Y	D	F	P	V	U
H	B	Z	P	V	S	H	R	M	L	V	B	C
R	J	H	R	H	C	I	A	W	R	E	N	O
O	K	W	E	V	I	O	L	A	T	I	O	N
B	F	A	D	M	C	A	G	A	Z	E	N	V
B	X	R	R	O	N	D	R	M	D	C	O	I
E	I	C	U	I	T	T	U	C	P	N	S	C
R	K	R	M	I	E	G	B	A	V	E	A	T
Y	T	I	V	P	G	J	K	S	R	F	E	V
G	R	M	R	I	D	R	L	P	P	F	R	A
C	Z	E	N	Z	C	F	W	O	E	O	T	T
M	P	G	G	H	C	E	Q	L	I	T	F	F
S	G	A	Q	R	M	Z	O	I	A	J	X	E
W	G	A	R	S	O	N	K	C	A	J	I	H
N	C	K	G	K	Y	F	K	E	S	O	V	T

86

V	P	A	D	Y	Q	T	I	K	Q	G	F	R
G	S	N	Z	C	S	O	S	Y	A	K	O	T
N	I	I	R	B	H	L	D	D	Y	S	Y	E
A	D	S	L	F	I	R	K	B	E	C	R	R
I	T	T	W	B	R	E	N	E	H	T	I	A
N	J	E	C	H	A	M	P	A	G	N	E	L
R	P	R	W	A	Z	H	R	U	M	B	S	C
O	P	G	O	G	Q	D	C	J	O	U	L	A
F	X	P	I	N	O	T	N	O	I	R	I	B
I	S	Q	E	N	D	M	P	L	S	G	N	E
L	Z	H	N	C	U	C	U	A	E	U	G	R
A	R	A	O	S	A	U	V	I	G	N	O	N
C	Y	D	C	C	X	S	C	S	U	D	S	E
V	E	A	Y	L	K	B	L	Q	O	Y	H	T
M	I	K	C	R	I	O	J	A	R	X	Z	H

87

Y	Y	C	G	H	G	R	U	B	M	A	B	V
E	W	J	O	V	Y	E	L	D	U	D	M	C
K	B	A	C	R	E	T	S	A	C	N	A	L
K	E	B	R	H	F	S	Z	W	H	R	I	E
W	L	N	S	W	A	E	U	Y	L	Q	D	E
I	V	Z	I	R	I	H	B	I	Y	N	O	D
N	O	D	N	L	Y	C	S	N	O	D	B	O
D	I	P	N	T	W	L	K	M	G	J	G	D
S	R	N	E	X	E	O	H	N	J	N	O	U
O	Q	A	D	D	S	C	R	I	I	I	D	V
R	S	V	N	U	I	I	R	T	C	D	R	E
V	F	U	E	R	E	I	S	E	H	C	O	R
C	R	O	P	H	A	A	R	M	V	H	W	X
A	H	B	U	A	H	B	S	F	U	E	X	W
M	D	S	M	M	Q	C	M	V	G	A	H	P

88

R	Y	O	F	G	H	T	T	Z	R	N	H	R
O	M	K	E	X	D	Q	F	F	Y	I	Y	V
C	E	D	R	I	N	U	L	A	E	R	D	C
K	O	G	R	Y	A	Z	O	R	E	S	Z	F
A	C	R	O	N	L	O	R	O	I	T	K	R
L	T	E	V	B	E	O	E	E	Y	H	G	D
L	E	E	D	O	R	Y	S	S	Z	E	O	N
Y	N	N	N	R	I	L	A	P	A	L	M	A
A	E	L	N	M	E	W	F	M	I	E	E	L
D	R	A	B	L	A	V	S	C	N	N	R	T
U	I	N	O	I	S	N	E	C	S	A	A	E
M	F	D	N	R	L	L	I	P	X	X	J	H
R	E	F	J	F	A	L	K	L	A	N	D	S
E	C	A	F	N	S	Z	G	I	O	C	I	P
B	M	A	D	E	I	R	A	K	K	I	P	I

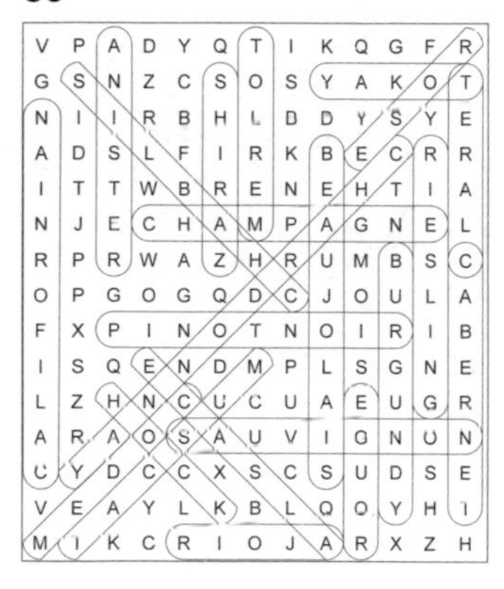

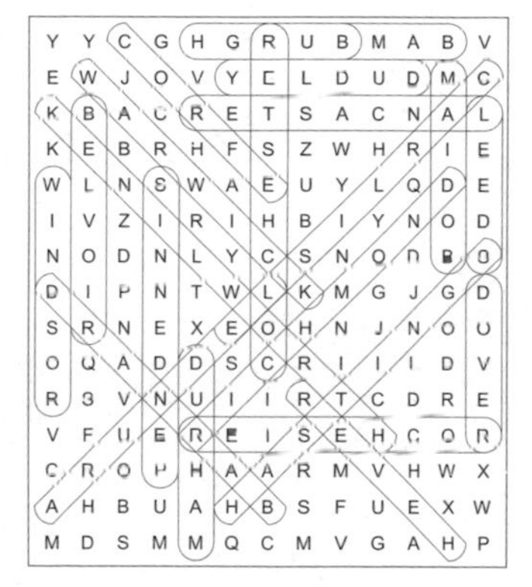

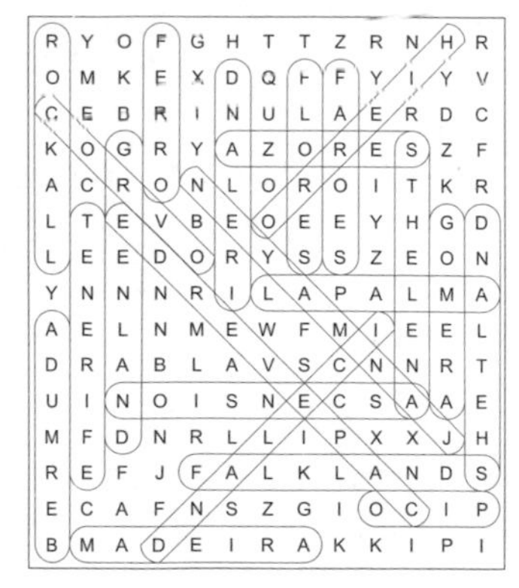

Solutions

89

90

91

92

Solutions

93

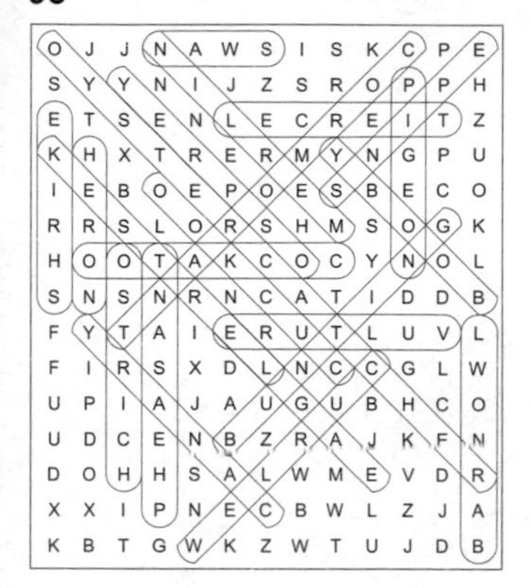

94

95

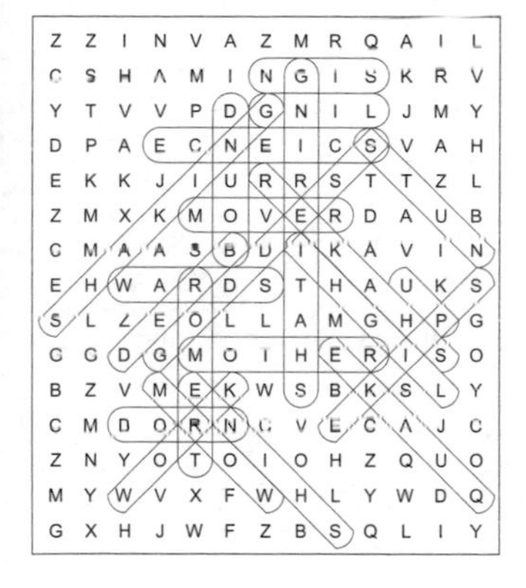

96

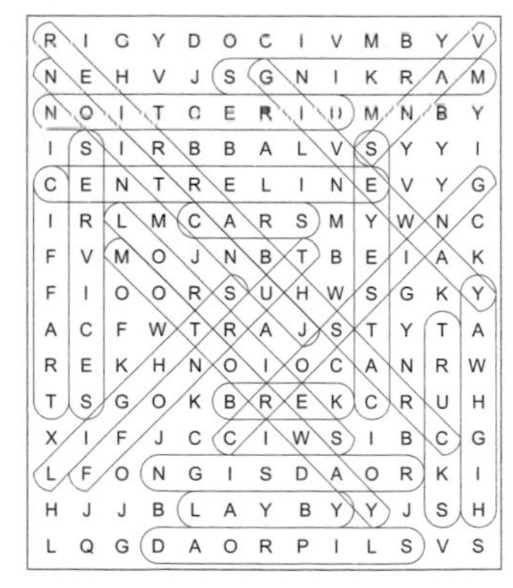

Solutions

97

X	K	S	T	A	E	K	X	Y	I	L	M	M
P	W	A	Y	I	J	H	V	A	S	O	E	H
U	Z	M	N	T	K	T	K	D	P	L	S	F
W	Q	O	N	A	H	H	Y	L	E	A	R	D
A	O	H	B	C	M	K	U	I	N	O	L	L
B	R	T	H	A	O	T	O	W	S	R	L	V
U	N	R	T	S	M	L	I	T	E	O	I	O
N	O	O	O	U	E	M	E	H	R	H	W	T
Y	V	W	W	R	N	V	T	R	W	A	G	N
A	A	S	E	Z	E	E	A	B	I	R	S	O
N	N	D	S	N	O	C	W	R	R	D	L	M
H	P	R	S	G	J	M	U	M	G	Y	G	R
A	P	O	U	N	D	S	D	A	A	G	S	E
A	N	W	I	G	B	W	F	Q	H	N	Z	L
G	O	E	D	L	I	W	X	U	N	C	U	S

98

99

100